Devocionario
de Los
Primeros Sábados Comunitarios

En reparación por los pecados cometidos en contra del Inmaculado Corazón de María

Una guía para participar en los Primeros Sábados de forma comunitaria
(también es apto para su uso individual)

by First Saturdays for Peace

"Ten compasión del Corazón de tu Santísima Madre que está cubierto de espinas, que los hombres ingratos continuamente le clavan, sin que haya alguien que haga un acto de reparación para arrancárselas."
(El Niño Jesús a Sor Lucía, 10 de diciembre de 1925)

Los textos bíblicos están tomados de *El Libro del Pueblo de Dios. La Biblia.* San Pablo, Buenos Aires, 2014, www.Vatican.va.

El contenido de este libro, *Devocionario de los Primeros Sábados Comunitarios*, ha sido extraído del libro bilingüe, *The Communal First Saturdays Devotional/ Devocionario de los Primeros Sábados Comunitarios*, que recibió el *imprimatur* de Su Eminencia Daniel Cardinal DiNardo, el Arzobispo de Galveston-Houston.

Primera edición: 2 de febrero del 2021
Fiesta de la Presentación del Señor

ISBN: 978-1-951233-01-3

En reparación por los pecados cometidos en contra del Inmaculado Corazón de María

Devocionario de LosPrimeros Sábados Comunitarios

Unidos en el poder de la oración

Contenido

Contenido

Contenido

Apéndice I
La Visitación de la Virgen Peregrina de la Iglesia al Hogar

Apéndice II
La Recepción del Escapulario de la Virgen del Carmen

Apéndice III
Himnos

1. Esquema Modelo del Primer Sábado Comunitario

-1:00 **Confesiones Individuales**
-0:40 La devoción comunitaria comienza con intenciones y oraciones
-0:30 El **Rosario**
0:00 El **Santo Sacrificio de la Misa** con la **Comunión de reparación**
0:30 La **Meditación** de los misertios del Rosario mientras se acompaña a Nuestra Madre
0:50 Letanías y oraciones por el Santo Padre
0:55 La Recepción de la Imagen Peregrina en la Iglesia *(opcional)*
1:00 Recepción del Escapulario *(opcional)*

0:00 representa la hora de inicio de la Santa Misa en la parroquia o comunidad. Las intenciones y oraciones comienzan 40 minutos antes de la Misa, el Rosario se reza 30 minutos antes, y la meditación (lectio divina) de la Escritura inicia justo después de la Celebración Eucarística (aproximadamente 30 minutos después del inicio de la Misa), se termina con las Letanías de la Santísima Virgen María y las oraciones por el Santo Padre.

Otras devociones recomendadas, tales como La Visitación de la Virgen Peregrina de la Iglesia al Hogar y la recepción del Escapulario, comenzarían, de manera consecutiva, después de las letanías y las oraciones del Santo Padre, es decir, aproximadamente 55 minutos después de la hora de inicio de la Santa Misa (pueden realizarse una o ambas devociones). En caso de no realizarse ninguna devoción opcional, los Primeros Sábados Comunitarios culminarían al finalizar las Letanías y oraciones por el Santo Padre. De ser posible, las Confesiones individuales comenzarían al menos una hora antes de la Santa Misa. Habría que revisar los horarios de la parroquia. La duración de cada actividad es aproximada.

2. Orden de Los Primeros Sábados Comunitarios

Para una explicación más completa acerca del Orden de Devoción, favor de revisar el Apéndice G del libro "Los Primeros Sábados Comunitarios".

2.1 Confesión Individual *(Sacramento de Penitencia y Reconciliación), la primera de cuatro prácticas con la intención de hacer reparación al Inmaculado Corazón de María*

2.11 Oraciones antes de la Confesión *(opcional)*

A María, Refugio de los Pecadores

Oh Inmaculado Corazón de María, por el fuego de amor que arde en Tí, que todos mis pecados sean consumidos y todos mis deseos purificados. Permite que por penitencia sincera desprenda las dolorosas espinas con que te he traspasado. Que al menos algo de ese fuego divino de amor que te inunda, entre en mi corazón para que mi servicio a tu Hijo sea completo. Que mi devoción constante a tu Inmaculado Corazón permita estar dispuesto a compartir tus dolores en el presente, para que cuando te vea en el Cielo, pueda poseer algo del gozo bendito que tu Hijo imparte. Inmaculado Corazón de María, soy tuyo en dolor y gozo, en tiempo y eternidad. Amén.

(P. Thomas McGlynn, OP, 24 de julio de, 1958)

A Jesús, Fuente de Misericordia

Corazón de Jesús, a través del Inmaculado Corazón de María, en unión con San José y con la ayuda de todos los Ángeles y Santos, vierte Tu Santo Espíritu en mi corazón y derrama Tu luz sobre todos mis pecados. Concédeme un verdadero arrepentimiento por todos mis pecados que te han ofendido, y permite que deteste todos mis pecados, incluso los veniales. Concédeme la gracia de esforzarme por reparar todos mis pecados y los pecados de los demás, que ofenden a la Santísima Trinidad. Que a través de este Sacramento pueda también hacer reparación, especialmente por los pecados que ofenden a Tu Sagrado Corazón y al Inmaculado Corazón de María.

Salmo 51

1 *Del maestro de coro. Salmo de David.*
2 Cuando el profeta Natán lo visitó, después que aquel se había unido a Betsabé.
3 ¡Ten piedad de mí, oh Dios, por tu bondad,
por tu gran compasión, borra mis faltas!
4 ¡Lávame totalmente de mi culpa
y purifícame de mi pecado!
5 Porque yo reconozco mis faltas
y mi pecado está siempre ante mí.
6 Contra ti, contra ti solo pequé
e hice lo que es malo a tus ojos.
Por eso, será justa tu sentencia

y tu juicio será irreprochable;
7 yo soy culpable desde que nací;
pecador me concibió mi madre.
8 Tú amas la sinceridad del corazón
y me enseñas la sabiduría en mi interior.
9 Purifícame con el hisopo y quedaré limpio;
lávame, y quedaré más blanco que la nieve.
10 Anúnciame el gozo y la alegría:
que se alegren los huesos quebrantados.
11 Aparta tu vista de mis pecados
y borra todas mis culpas.
12 Crea en mí, Dios mío, un corazón puro,
y renueva la firmeza de mi espíritu.
13 No me arrojes lejos de tu presencia
ni retires de mí tu santo espíritu.
14 Devuélveme la alegría de tu salvación,
que tu espíritu generoso me sostenga:
15 yo enseñaré tu camino a los impíos
y los pecadores volverán a ti.
16 ¡Líbrame de la muerte, Dios, salvador mío,
y mi lengua anunciará tu justicia!
17 Abre mis labios, Señor,
y mi boca proclamará tu alabanza.
18 Los sacrificios no te satisfacen;
si ofrezco un holocausto, no lo aceptas:
19 mi sacrificio es un espíritu contrito,
tú no desprecias el corazón contrito y humillado.
20 Trata bien a Sión por tu bondad;
reconstruye los muros de Jerusalén,
21 Entonces aceptarás los sacrificios rituales
–las oblaciones y los holocaustos–
y se ofrecerán novillos en tu altar.

2.12 Examen de Conciencia

No es la intención de este libro proporcionar un método particular de examen de conciencia, ya que este puede variar de acuerdo a las necesidades de diferentes personas y puede variar también cuando la persona avanza por las diversas etapas de la vida espiritual. Se podría utilizar lo siguiente como ayuda para examinar la conciencia (cf. al igual que, Catecismo de la Iglesia

Católica). Como último paso previo a la Confesión, recomendamos rezar la "Oración de Intención para la Confesión" disponible en la página 7.

Los Diez Mandamientos pueden ser estudiados más a fondo para que proporcionen un marco de referencia más completo para el autoexamen. Las Bienaventuranzas también son útiles para autoexaminarse y obtener un crecimiento espiritual.

Con el fin de identificar en el corazón la raíz de numerosos pecados específicos, es conveniente reflexionar en los siete pecados capitales.

También se recomienda reflexionar y practicar las virtudes enumeradas a continuación y otras más, sobre las cuales podemos seguir aprendiendo por medio de la lectura espiritual, por ejemplo. Estas virtudes, y muchas otras, alcanzan un extraordinario grado de perfección en el Inmaculado Corazón de María. En cierto modo, podemos mirar al Corazón de María para ver si hemos fracasado en estas virtudes, ya sea por actos contrarios a estas o por omisión. En el Inmaculado Corazón de María encontramos la forma en que debemos responder al Sagrado Corazón de Jesús y unirnos a Él. Los dones y frutos del Espíritu Santo también se encuentran en el Inmaculado Corazón de María en gran perfección sin el menor defecto. Finalmente, los preceptos de la Iglesia nos brindan un recordatorio de nuestro deber mínimo como católicos.

Para más información, busque la pregunta y respuesta en referencia a la necesidad de formar la propia conciencia (cf. El libro "Los Primeros Sábados Comunitarios," Parte II, Sección Primera, cap. 2, pregunta 19). No se debe posponer la Confesión, aunque uno no se sienta preparado perfectamente. Uno simplemente da el primer paso y luego otro seguirá. El sacerdote está presente en el confesionario para ayudar al penitente a hacer una buena confesión.

Los Diez Mandamientos

1. Yo soy el Señor, tu Dios…No tendrás otros dioses delante de mí.
2. No pronunciarás en vano el nombre del Señor, tu Dios.
3. Sanctificarás las fiestas.
4. Honra a tu padre y a tu madre.
5. No matarás.
6. No cometerás adulterio.
7. No robarás.
8. No darás falso testimonio contra tu prójimo.
9. No codiciarás la mujer de tu prójimo.
10. No codiciarás la casa de tu prójimo.

(cf. *Catecismo de la Iglesia Católica, 2ª edición*, pp. 427-428, Éx, 20, 2-17, Dt 5, 6-21).

Las Bienaventuranzas

Felices los que tienen alma de pobres, porque a ellos les pertenece el Reino de los Cielos.

Felices los pacientes, porque recibirán la tierra en herencia.

Felices los afligidos, porque serán consolados.

Felices los que tienen hambre y sed de justicia, porque serán saciados.

Felices los misericordiosos, porque obtendrán misericordia.

Felices los que tienen el corazón puro, porque verán a Dios.

Felices los que trabajan por la paz, porque serán llamados hijos de Dios.

Felices los que son perseguidos por practicar la justicia, porque a ellos les pertenece el Reino de los Cielos.

Felices ustedes, cuando sean insultados y perseguidos, y cuando se los calumnie en toda forma a causa de mí.

Alégrense y regocíjense entonces, porque ustedes tendrán una gran recompensa en el cielo; de la misma manera persiguieron a los profetas que los precedieron (Mt. 5, 3-12).

Los Siete Pecados Capitales

Los siete pecados capitales o raíces: la soberbia, la avaricia, la envidia, la ira, la lujuria, la gula, la pereza. "Son llamados capitales porque generan otros pecados, otros vicios. " (*Catecismo de la Iglesia Católica*, n. 1866). "Dios resiste a los soberbios y da su gracia a los humildes" (St 4, 6).

Las Virtudes

Las virtudes: Fe, Esperanza, Caridad, Religión, Justicia, Prudencia, Fortaleza, Templanza, Castidad, Humildad, Paciencia, Bondad y una multitud de otras (*Catecismo de la Iglesia Católica*, 1803-1828). El amor o la caridad " que es el vínculo de la perfección " (Col 3, 14, cf. 1 Cor 13, 13, cf. también Gál 5, 18-25).

Dones y Frutos del Espíritu Santo

El Catecismo de la Iglesia Católica nos ayuda a reconocer los dones esenciales y frutos del Espíritu Santo para nuestra santificación, para que podamos examinar la conducta que no les corresponde:

La vida moral de los cristianos está sostenida por los dones del

Espíritu Santo. Estos son disposiciones permanentes que hacen al hombre dócil para seguir los impulsos del Espíritu Santo (n. 1830).

Los siete *dones* del Espíritu Santo son: sabiduría, inteligencia, consejo, fortaleza, ciencia, piedad y temor de Dios. Pertenecen en plenitud a Cristo, Hijo de David (cf *Is* 11, 1-2). Completan y llevan a su perfección las virtudes de quienes los reciben. Hacen a los fieles dóciles para obedecer con prontitud a las inspiraciones divinas (n. 1831).

"Tu espíritu bueno me guíe por una tierra llana" (*Sal* 143,10, n. 1831).

"Todos los que son guiados por el Espíritu de Dios son hijos de Dios [...] Y, si hijos, también herederos; herederos de Dios y coherederos de Cristo" (*Rm* 8, 14.17, n. 1831).

Los *frutos* del Espíritu son perfecciones que forma en nosotros el Espíritu Santo como primicias de la gloria eterna. La tradición de la Iglesia enumera doce: "caridad, gozo, paz, paciencia, longanimidad, bondad, benignidad, mansedumbre, fidelidad, modestia, continencia, castidad" (*Ga* 5,22-23, vulg.) (n. 1832).

El Mayor Mandamiento de la Ley

Jesús le respondió: **"Amarás al Señor, tu Dios, con todo tu corazón, con toda tu alma y con todo tu espíritu.** Este es el más grande y el primer mandamiento. El segundo es semejante al primero: **Amarás a tu prójimo como a ti mismo.** De estos dos mandamientos dependen toda la Ley y los Profetas" (Mt 22, 37-40, Énfasis nuestro).

Los Preceptos de la Iglesia

Los preceptos de la Iglesia son leyes de la Iglesia a las que estamos obligados a obedecer. De esta manera, la Iglesia como madre amorosa nos guía a lo largo de un sendero que sirve no sólo a nuestro bien, sino al bien de los demás. El poder de la Iglesia para hacer leyes está incluido en las palabras: "...Todo lo que ates en la tierra, quedará atado en el cielo... (Mt 18:18; cf. 16:19). "El Catecismo de la Iglesia Católica" nos dice:

El primer mandamiento ("Oír Misa entera los domingos y demás fiestas de precepto y no realizar trabajos serviles") exige a los fieles que santifiquen el día en el cual se conmemora la Resurrección del Señor y las fiestas litúrgicas principales en honor de los misterios del Señor, de la Santísima Virgen María y de los santos, en primer lugar participando en la celebración eucarística en la que se congrega la comunidad cristiana y descansando de aquellos trabajos y ocupaciones que puedan impedir esa santificación de esos días (cf CIC can 1246-1248; CCEO can. 881, 1.2.4).

El segundo mandamiento ("Confesar los pecados mortales al menos una vez al año") asegura la preparación a la Eucaristía mediante la recepción del sacramento de la Reconciliación, continuando la obra de conversión y de perdón del Bautismo (cf CIC can. 989; CCEO can. 719).

El tercer mandamiento ("Recibir el sacramento de la Eucaristía al menos por Pascua") garantiza un mínimo en la recepción del Cuerpo y la Sangre del Señor en conexión con el tiempo de Pascua, origen y centro de la liturgia cristiana (cf CIC can. 920; CCEO can. 708-881, 3).

El cuarto mandamiento ("Abstenerse de comer carne y ayunar en los días establecidos por la Iglesia") asegura los tiempos de ascesis y de penitencia que nos preparan para las fiestas litúrgicas y para adquirir el dominio sobre nuestros instintos, y la libertad del corazón (cf CIC can. 1249-1251; CCEO can. 882).

El quinto mandamiento ("Ayudar a la Iglesia en sus necesidades") anuncia que los fieles están obligados a ayudar, cada uno según su posibilidad, a las necesidades materiales de la Iglesia (cf CIC can. 222) (n. 2042-2043).

Los preceptos de la Iglesia son un "mínimo indispensable" para dirigir una vida católica.

Oración de Intención para la Confesión

Oh Jesús, esto es por amor a Tí, por la conversión de los pecadores, por el Santo Padre, y en reparación por los pecados cometidos contra el Inmaculado Corazón de María.

2.13 Durante la Confesión

Hacer la Señal de la Cruz.

Sea receptivo a la dirección del sacerdote.

Puede mencionarle al sacerdote su vocación de vida (soltero, casado, religioso, etc.). Cuéntele cuánto tiempo ha pasado desde su última confesión (semanas, meses, años, etc.).

(No es necesario mencionar la intención adicional de hacer reparación al Inmaculado Corazón de María en el confesionario).

Confiese todos los pecados mortales que no ha confesado y el número de veces que los cometió. Se le recomienda confesar sus pecados veniales. Escuche lo que el sacerdote dice (incluyendo la penitencia dada al menos para hacer una reparación parcial por sus pecados).

2.14 Acto de Contrición

Rece un Acto de Contrición según lo dirigido. Existen varias oraciones para hacer un Acto de Contrición que uno puede elegir para orar. Aquí presentamos tres maneras que expresan arrepentimiento por los pecados. La primera puede ser útil para aquellos que tratan de obtener una indulgencia plenaria, ya que una de las condiciones para obtenerla es el desapego de todo pecado. Esto se puede expresar a través de las palabras "Detesto todos mis pecados".

¡Dios mío, me arrepiento profundamente por haberte ofendido y detesto todos mis pecados porque temo el perder la gracia de ir al cielo y sufrir los dolores del infierno; pero más que nada por haberte ofendido, Dios mío, que eres todo bueno y mereces todo mi amor. Firmemente, resuelvo con la ayuda de tu gracia confesar mis pecados, cumplir la penitencia, y enmendar mi vida. Amén. (*Reconciliación: Una guía corta*, www.USCCB. org).

O:

Dios mío, me arrepiento de todo corazón de todo lo malo que he hecho y de lo bueno que he dejado de hacer. Porque pecando te he ofendido a ti, Que eres el sumo bien y digno de ser amado sobre todas las cosas. Propongo firmemente, con tu gracia, Cumplir la penitencia, No volver a pecar y evitar las ocasiones de pecado. Perdóname, Señor, por los méritos de la pasión de nuestro salvador Jesucristo (*Rito de la Penitencia, "Como Confesarse,"* USCCB.org).

O:

"Padre, he pecado contra ti, ya no merezco llamarme hijo tuyo. Ten compasión de este pecador" (RP 98 en *Congregación para el Culto Divino y la Disciplina de los Sacramentos,"Notitiae", 2015/2, Para Redescubrir el Ritual de la Penitencia*).

Representando a la persona de Cristo, el sacerdote puede dar la absolución del pecado.

2.15 Después de la Confesión

Realice la penitencia dada por el sacerdote en satisfacción (reparación) por sus pecados. Esto por lo menos repara parcialmente el castigo temporal debido a sus pecados. Ciertamente todos los pecados de uno son perdonados por la absolución. Sin embargo, el castigo temporal puede permanecer y sólo puede ser parcialmente reparado por la penitencia (Catecismo de la Iglesia Católica, 1459-1460).

Recuerde las palabras del sacerdote e intente cumplir sus consejos.

Para más información práctica sobre el Sacramento de la Penitencia visite la página web de la Conferencia de los Obispos Católicos de los Estados Unidos en www.usccb.org. Busque en "Sacramento de la penitencia" o en el sitio web correspondiente si vive fuera de los Estados Unidos.

2.2 *Orden de la Devoción Comunitaria y Liturgia*

El guía no debe leer en voz alta ninguna instrucción o acotación que esté en letras itálicas (ver el Apéndice F del libro "Los Primeros Sábados Comunitarios"). Para obtener información adicional, consulte el Apéndice G del mismo libro.

De ser posible, pudiera realizarse una procesión desde la entrada principal de la iglesia con la imagen de la Virgen Peregrina y esta podría ser colocada en el presbiterio o santuario u otro lugar autorizado por el párroco antes de iniciar con la devoción. Si no es factible, la imagen podría ser simplemente colocada en el espacio autorizado.

2.21 Introducción: El Niño Jesús y Su Santísima Madre nos Hablan

Saludo a los fieles (por ejemplo, "buenos días").

Guía: Comenzaremos con el Orden Comunitario de Devoción y Liturgia. Por favor, ir a la página 10 de sus libros.

Comience haciendo la Señal de la Cruz.

Guía: En el Nombre del Padre y del Hijo y del Espíritu Santo. Amén.

Guía: El Niño Jesús dijo a Sor Lucía:
"Ten compasión del Corazón de tu Santísima Madre que está cubierto de espinas, que los hombres ingratos continuamente le clavan, sin que haya alguien que haga un acto de reparación para arrancárselas".
Nuestra Madre entonces dijo:
"Hija mía, mira mi Corazón, que está rodeado con las espinas que los hombres ingratos me clavan continuamente con blasfemias e ingratitudes. Tú, al menos, procura consolarme; y di que prometo ayudar a la hora de la muerte con todas las gracias necesarias para la salvación, a todos aquellos que en el primer sábado de cinco meses consecutivos, vayan a Confesión y reciban la Sagrada Comunión, reciten cinco misterios del Rosario y me acompañen por un cuarto de hora mientras meditan en los misterios del Rosario, con la intención de hacer reparación a mí *(10 de diciembre de 1925).*

Más tarde, Sor Lucía preguntó a Jesús si estaría bien ir a confesarse entre ocho días antes o después del primer sábado del mes. Jesús respondió, "Sí, y hasta pudiera ser más días todavía, con la condición de que, cuando me reciban estén en estado de gracia y tengan la intención de hacer reparación al Inmaculado Corazón de María *(15 de febrero de 1926).*

2.22 Intenciones para Los Primeros Sábados Comunitarios

Las siguientes intenciones de Los Primeros Sábados Comunitarios no deben entenderse como intercesiones generales, sino más bien como una ayuda para cumplir con la petición de Nuestra Madre. Por ejemplo, uno podría fácilmente tratar de cumplir con las cuatro prácticas de los Primeros Sábados y olvidarse de hacer la intención de reparar el Corazón Inmaculado de María, que es una parte esencial de la devoción. Por lo tanto, las siguientes intenciones nos ayudan a cumplir las condiciones de los Primeros Sábados con la intención adecuada. También hay cinco intenciones adicionales que son útiles para cumplir con la petición de Nuestra Madre.

Guía: Favor de acompañarme con las siguientes intenciones de *Los Primeros Sábados Comunitarios.*

Todos: Para ofrecer reparación a la Santísima Trinidad por todos los pecados.

Todos: Ir a Confesión con la intención de hacer reparación al Inmaculado Corazón de María;

Todos: Recibir con amor a Jesús en la Sagrada Comunión con la intención de hacer reparación al Inmaculado Corazón de María;

Todos: Rezar el Rosario con la intención de hacer reparación al Inmaculado Corazón de María;

Todos: Acompañar a Nuestra Madre mientras meditamos durante quince minutos en los misterios del Rosario con la intención de hacer reparación al Inmaculado Corazón de María;

Todos: Por la gracia de practicar y cumplir la petición de Nuestro Señor y Nuestra Madre en la Devoción de los Cinco Primeros Sábados y continuar esta práctica por la salvación de otros y paz en el mundo;

Todos: Tratar de reparar al Inmaculado Corazón por los pecados contra su Inmaculada Concepción, Virginidad, Maternidad Divina y Maternidad Espiritual, el amor de sus niños a Ella, y sus Imágenes Sagradas.

Todos: Que la reparación que hacemos al Sagrado Corazón de Jesús y al Inmaculado Corazón de María puedan consolarlos.

Todos: Que todos nuestros sufrimientos y los sufrimientos en todo el mundo, pasado, presente y futuro, puedan servir como reparación a los Corazones de Jesús y Su Santísima Madre.

Todos: Ofrecer reparación por todos los pecados contra la Santa Madre Iglesia y contra nuestros hermanos y hermanas en todo el mundo.

Todos: Que podamos ganar cualquiera de las indulgencias ofrecidas por la Santa Madre Iglesia.

2.23 Oraciones Previas al Rosario

Oraciones de Fátima

Guía: Digamos juntos las oraciones de Fátima.

Todos: Dios mío, yo creo, adoro, espero y te amo; te pido perdón por los que no creen, no adoran, no esperan y no te aman.

Todos: Santísima Trinidad, Padre, Hijo y Espíritu Santo, te adoro profundamente y te ofrezco el Preciosísimo Cuerpo, Sangre, Alma y Divinidad de nuestro Señor Jesucristo, presente en todos los Sagrarios del mundo, en reparación por los ultrajes, sacrilegios e indiferencia con los que Él es ofendido. Por los méritos infinitos del Sagrado Corazón de Jesús y del Inmaculado Corazón de María, te pido por la conversión de los pobres pecadores.

Todos: Oh Santísima Trinidad, yo te adoro. Dios mío, Dios mío, te amo en el Santísimo Sacramento.

Todos: Oh Jesús, esto es por amor a Ti, por la conversión de los pecadores, por el Santo Padre, y en reparación por los pecados cometidos contra el Inmaculado Corazón de María. *(Jacinta agregó "el Santo Padre.")*

Todos: Oh Jesús mío, perdona nuestros pecados, líbranos del fuego del infierno, lleva al Cielo a todas las almas, especialmente a las más necesitadas de Tu misericordia.

Todos: ¡Dulce Corazón de María, sé mi salvación!

El guía puede anunciar cada una de las siguientes oraciones.

Guía: **Acto de Consagración al Sagrado Corazón de Jesús a través del Inmaculado Corazón de María**

Todos: Padre Celestial, Tú nos has amado de tal manera que enviaste a tu Hijo Unigénito que se vació a sí mismo, tomando la forma de esclavo en el vientre de la Santísima Virgen María por el poder del Espíritu Santo para nuestra salvación. Concédenos que, así como Jesús ofreció el Don total de Sí Mismo en el sacrificio en la Cruz, podamos ofrecernos totalmente a Ti a través del Sagrado Corazón de tu Hijo, y por la intercesión del Inmaculado Corazón de María.

Amado Jesús, concédenos que renovemos nuestra consagración personal a Ti en este día, la consagración que comenzó con nuestro Bautismo. Por ese mismo Bautismo, reconocemos que somos totalmente tuyos y todo lo que tenemos es tuyo. Ayúdanos, amado Salvador, a renovar nuestras promesas bautismales de rechazar a Satanás, rechazar el pecado y profesar la Fe Católica sin importar el costo. Permite que te sirvamos por nuestra unción bautismal como sacerdote, profeta y rey por intercesión del Corazón Maternal de tu Santísima Madre. Tú nos la has dado como nuestra para ofrecerte su Corazón perfecto e inmaculado.

Madre amorosa, encomendamos a tu Inmaculado Corazón todo nuestro ser, cuerpo y alma, y todo lo que tenemos interno y externo. Por medio de tu mediación maternal y por la gracia del Espíritu Santo, únenos al Corazón de tu Hijo, para que por Él podamos llegar al Padre.

Amado Jesús y María, concédenos que podamos también cumplir con su petición de los Primeros Sábados. De esta manera, esperamos, por la gracia del Espíritu Santo, obtener la paz mundial y la salvación de las almas, incluyendo la nuestra. Amén.

Guía: **Acto de Reparación a Jesús a través del Inmaculado Corazón de María**

Todos: Santísima Virgen Madre, escuchamos con dolor las súplicas de tu Hijo sobre tu Inmaculado Corazón que está rodeado de espinas que cada momento te clavan las blasfemias e ingratitudes de la humanidad. Nos sentimos llenos de un ardiente deseo de amarte como Nuestra Madre y

13

de promover una verdadera devoción a tu Inmaculado Corazón, especialmente a través de estas Comuniones de reparación.

Por lo tanto, nos arrodillamos ante ti para mostrarte el dolor que experimentamos por las aflicciones que te causamos, y para expiar con nuestras oraciones y sacrificios por las ofensas que han traspasado tu Corazón y el Corazón de tu Hijo. Concédenos el perdón de tantos pecados y apresura la conversión de todos nosotros, los pecadores, para que amemos a Jesús y dejemos de ofender al Señor, que está ya muy ofendido. Vuelve tus ojos de misericordia, para que podamos amar a Dios con todo nuestro corazón en la tierra y disfrutarlo para siempre en el Cielo. Amén.

Guía: **Oración a San José**

Todos: Salve José, sombra del Padre, guardián del Redentor, y protector del camino que conduce a Jesús, a través del Inmaculado Corazón de María, tu verdadera esposa. Por favor, suplica al Padre que nos conceda eficaces gracias a través del Corazón de Jesús y por el Espíritu Santo. Obtén por la intercesión del Corazón de María, que cumplamos obedientemente las peticiones de Jesús y María. Por favor, presenta nuestras ofrendas a Jesús a través del Inmaculado Corazón de María, en reparación por los pecados que tanto han ofendido a Ella y a su Hijo. Inspíranos a cumplir y difundir los Primeros Sábados en todas partes, para que muchas almas sean rescatadas del pecado y llevadas a la vida eterna.

Concédenos también, así como bendijiste al mundo en Fátima con el Niño Jesús, el Cordero de Dios, nos bendigas y nos ayudes a construir y mantener la civilización de amor y paz que nuestra Madre ha prometido como victoria de su Inmaculado Corazón. Porque tu eres "...el servidor fiel y previsor, a quien el Señor ha puesto al frente de su personal, para distribuir el alimento en el momento oportuno..." Te eligió como "administrador de todos sus bienes " (*Mt* 24, 45, 47). Así también nosotros deseamos confiarnos enteramente a tu cuidado, como miembros de tu hogar para el honor y gloria de los Corazones de Jesús y María. Amén.

Guía: **Oración por la Protección de los Derechos de Conciencia** *(USCCB)*

Todos: Padre, te alabamos y damos gracias por los preciosísimos dones de la vida y la libertad humanas.

Toca el corazón de nuestros legisladores con la sabiduría y el valor de defender los derechos de conciencia y la libertad religiosa para todos.

Protege a todas las personas de ser obligadas a violar sus convicciones morales y religiosas.

En tu bondad, protege nuestra libertad de vivir nuestra fe y de seguirte en todo lo que hacemos. Danos fortaleza para ser testigos valientes y alegres.

Te lo pedimos por Cristo, nuestro Señor. Amén.

Guía: **Invocaciones de los Santos Patronos de Los Primeros Sábados Comunitarios**

Todos estos santos, específicamente nombrados a continuación, tienen una conexión especial con Los Primeros Sábados Comunitarios, ya sea porque estén relacionados con el mensaje de Fátima, los Primeros Sábados o con alguna práctica de los Primeros Sábados, como la Sagrada Eucaristía, el Sacramento de la Reconciliación o el Rosario.

Guía:

San Miguel, Arcángel; ***Todos***: *ruega por nosotros*
Santa María Magdalena; *ruega por nosotros*
Santo Domingo; *ruega por nosotros*
Santa Catalina de Siena; *ruega por nosotros.*
Santo Tomás de Aquino; *ruega por nosotros.*
San Antonio de Padua; *ruega por nosotros.*
San Juan María Vianney; *ruega por nosotros.*
San Padre Pío; *ruega por nosotros.*
San Juan Pablo II; *ruega por nosotros.*
Santos Jacinta y Francisco; *rueguen por nosotros.*
Todos los Ángeles y Santos de Dios; *rueguen por nosotros.*

2.24 Las Tres Prácticas Restantes para el cumplimiento de los Primeros Sábados *(Véase también la primera práctica, en el cap. 2.1 Confesión Individual).*

1). El Rosario *con la intención de hacer reparación al Inmaculado Corazón de María*

15

Recitación del Rosario

Favor de hablar con ritmo moderado.

Guía: Por favor, ir a la página 16 de sus libros. Ahora rezaremos el Rosario con la intención de hacer reparación al Inmaculado Corazón de María.

Iniciar haciendo la Señal de la Cruz.

Guía: En el Nombre del Padre y del Hijo y del Espíritu Santo. Amén.

Todos: Creo en Dios, Padre todopoderoso, Creador del cielo y de la tierra. Creo en Jesucristo, su único Hijo, Nuestro Señor, que fue concebido por obra y gracia del Espíritu Santo, nació de Santa María Virgen, padeció bajo el poder de Poncio Pilato, fue crucificado, muerto y sepultado, descendió a los infiernos, al tercer día resucitó de entre los muertos, subió a los cielos y está sentado a la derecha de Dios, Padre todopoderoso. Desde allí ha de venir a juzgar a vivos y muertos. Creo en el Espíritu Santo, la santa Iglesia católica, la comunión de los santos, el perdón de los pecados, la resurrección de la carne y la vida eterna. Amén.

En la cuenta más cercana al Crucifijo, rezar el Padre Nuestro (la Oración de Nuestro Señor):

Guía: Padre Nuestro, que estás en el cielo, santificado sea tu Nombre; venga a nosotros tu reino; hágase tu voluntad en la tierra como en el cielo.

Todos: Danos hoy nuestro pan de cada día; perdona nuestras ofensas como también nosotros perdonamos a los que nos ofenden; no nos dejes caer en la tentación, y líbranos del mal. Amén.

En las siguientes tres cuentas, rezar el Ave María tres veces:

Guía: Dios te salve, María, llena de gracia, el Señor es contigo. Bendita tú eres entre todas las mujeres y bendito es el fruto de tu vientre, Jesús.

Todos: Santa María, Madre de Dios, ruega por nosotros pecadores, ahora y en la hora de nuestra muerte. Amén.

Después rezar el Gloria:

Guía: Gloria al Padre y al Hijo y al Espíritu Santo.

Todos: Como era en el principio ahora y siempre, por los siglos de los siglos. Amén.

Guía: Por favor, ir a la página ____ de sus libros.

Misterios del Rosario

Los Misterios Gozosos

Guía:

Primer Misterio Gozoso: La Anunciación del Señor

María recibe y concibe la Palabra del Señor en su Corazón, y concibe la Palabra en su vientre por obra y gracia del Espíritu Santo.
"Yo soy la servidora del Señor, que se cumpla en mí lo que has dicho" (Lc 1, 38).
(Pausa)
Padre Nuestro...diez Ave Marías...Gloria...
Oh Jesús mío, perdona nuestros pecados, líbranos del fuego del infierno, lleva al Cielo a todas las almas, especialmente a las más necesitadas de tu misericordia y receptividad a Tu Palabra Divina.

Segundo Misterio Gozoso: La Visitación de María a Isabel

María recibe la Palabra inspirada de Isabel en su Corazón, y desde su Corazón dice:
"Mi alma canta la grandeza del Señor, y mi espíritu se estremece de gozo en Dios, mi salvador" *(Lc 1, 46-47).*
(Pausa)
Padre Nuestro... diez Ave Marías... Gloria...
Oh Jesús mío... más necesitadas de tu misericordia y amor al prójimo.

Tercer Misterio Gozoso: El Nacimiento de Jesús

María contempla en su corazón al Salvador recién nacido y lo adora con todo su ser, al mismo tiempo ella
"lo envolvió en pañales y lo acostó en un pesebre..." (Lc 2,7)
(Pausa)

Padre Nuestro... diez Ave Marías... Gloria...
Oh Jesús mío... más necesitadas de tu misericordia y pobreza de espíritu.

Cuarto Misterio Gozoso: La Presentación del Niño Jesús en el Templo

El Corazón de María es traspasado por la espada de nuestros pecados, el cual traspasó el Corazón de Jesús en la Cruz,
"Así se manifestarán claramente los pensamientos íntimos de muchos" *(Lc 2,35)*
(Pausa)
Padre Nuestro... diez Ave Marías... Gloria...
Oh Jesús mío... más necesitadas de tu misericordia y cumplimiento con la obligación del domingo.

Quinto Misterio Gozoso: El Niño Encontrado en el Templo

"El regresó con sus padres a Nazaret y vivía sujeto a ellos. Su madre conservaba estas cosas en su corazón" *(Lc 2, 51)*.
(Pausa)
Padre Nuestro... diez Ave Marías... Gloria...
Oh Jesús mío... más necesitadas de tu misericordia y obediencia.

Después de rezar 5 misterios, por favor ir a la página 23 para rezar "La Salve" y la oracion final.

Los Misterios Luminosos

Guía:

Primer Misterio Luminoso: El Bautismo de Nuestro Señor

Jesús muestra Su humilde Corazón aceptando el Bautismo para preparar el camino de nuestro Bautismo con agua y el Espíritu. Una voz del Cielo dijo:
"Este es mi Hijo muy querido, en quien tengo puesta toda mi predilección" *(Mt 3,17)*.
(Pausa)
Padre Nuestro... diez Ave Marías... Gloria...
Oh Jesús mío, perdona nuestros pecados, líbranos del fuego del infierno, lleva al Cielo a todas las almas, especialmente a las más necesitadas de tu misericordia y de la renovación de sus promesas bautismales.

Segundo Misterio Luminoso: Las Bodas de Caná

El Corazón de María siente compasión por un matrimonio y por aquellos que no creen.

"... la madre de Jesús le dijo: 'No tienen vino'" *(Jn 2,3)*.

(Pausa)

Padre Nuestro... diez Ave Marías... Gloria...

Oh Jesús mío... más necesitadas de tu misericordia y la gracia de darse en compromiso.

Tercer Misterio Luminoso: La Proclamación del Evangelio

María medita en su corazón el mensaje de su Hijo. Jesús dijo, "... el Reino de Dios está cerca. Conviértanse y crean en la Buena Noticia" *(Mc 1,15)*.

(Pausa)

Padre Nuestro... diez Ave Marías... Gloria...

Oh Jesús mío... más necesitadas de tu misericordia y conversión.

Cuarto Misterio Luminoso: La Transfiguración de Jesucristo

Desde su corazón amoroso, Jesús se revela en anticipación a su Resurreccion y ofrece un vislumbro de su Gloria que será vista en la Visión Beatífica.

"... una nube luminosa los cubrió con su sombra y se oyó una voz que decía desde la nube: "Este es mi Hijo muy querido, en quien tengo puesta mi predilección: escúchenlo" *(Mt 17,5)*.

(Pausa)

Padre Nuestro... diez Ave Marías... Gloria...

Oh Jesús mío... más necesitadas de tu misericordia y la verdad.

Quinto Misterio Luminoso: La Institución de la Sagrada Eucaristía

La Eucaristía es el Regalo más grande del corazón amoroso y misericordioso de Jesús. Este es el mismo Corazón, que está verdaderamente presente en la Eucaristía, y a quien ofrecemos el Corazón de María.

"Que cada uno se examine a sí mismo antes de comer este pan y beber esta copa" *(1 Cor 11, 28)*

(Pausa)

Padre Nuestro... diez Ave Marías... Gloria...

Oh Jesús mío... más necesitadas de tu misericordia y reverencia por la Sagrada Eucaristía.

Después de rezar 5 misterios, por favor ir a la página 23 para rezar "La Salve" y la oracion final.

Los Misterios Dolorosos

Guía:

Primer Misterio Doloroso: La Agonía de Jesús en el Huerto

María une su Corazón al Corazón de su Hijo. En su oración, Jesús reafirma la unidad de su corazón con el Padre al decir: "Padre mío, si es posible, que pase lejos de mí este cáliz, pero no se haga mi voluntad, sino la tuya" *(Mt 26,39).*
(Pausa)
Padre Nuestro... diez Ave Marías... Gloria...
Oh Jesús mío, perdona nuestros pecados, líbranos del fuego del infierno, lleva al Cielo a todas las almas, especialmente a las más necesitadas de tu misericordia y conformidad a la voluntad de Dios.

Segundo Misterio Doloroso: La Flagelación de Jesús atado a la columna

María sufre el flagelo terrible de su Hijo en su Corazón en reparación por los pecados de la carne.
"Gracias a sus llagas, ustedes fueron curados" *(1 Pe 2,24).*
(Pausa)
Padre Nuestro... diez Ave Marías... Gloria...
Oh Jesús mío... más necesitadas de tu misericordia y mortificación de los sentidos.

Tercer Misterio Doloroso: La Coronación de Jesús con Espinas

"Y, doblando la rodilla delante de él, se burlaban, diciendo: 'Salud, rey de los judíos'. Y escupiéndolo, le quitaron la caña y con ella le golpeaban la cabeza" *(Mt 27,29-30).*
(Pausa)
Padre Nuestro... diez Ave Marías... Gloria...
Oh Jesús mío... más necesitadas de tu misericordia y humildad.

Cuarto Misterio Doloroso: La Crucifixión y Muerte de Jesús

Siguiendo a su Hijo, María abraza pacientemente la Cruz en su Corazón.
"Lo seguían muchos del pueblo y un buen número de mujeres, que se golpeaban el pecho y se lamentaban por él" *(Lc 23,27).*

(Pausa)
Padre Nuestro... diez Ave Marías... Gloria...
Oh Jesús mío... más necesitadas de tu misericordia y paciencia.

Quinto Misterio Doloroso: La Crucifixión y Muerte de Jesús
María sufre en su Corazón e incluso en su cuerpo como Jesús sufre en Su Corazón y Cuerpo.
"Al ver a la madre y cerca de ella al discípulo a quien el amaba, Jesús le dijo: «Mujer, aquí tienes a tu hijo». Luego dijo al discípulo: «Aquí tienes a tu madre».
Jn 19, 26 - 27).
(Pausa)
Padre Nuestro... diez Ave Marías... Gloria...
Oh Jesús mío... más necesitadas de tu misericordia y entrega al Corazón de María.

Después de rezar 5 misterios, por favor ir a la página 23 para rezar "La Salve" y la oración final.

Los Misterios Gloriosos

Guía:

Primer Misterio Glorioso: La Resurrección de Jesús de entre los Muertos
El Inmaculado Corazón de María está lleno de gozo con la Resurrección de su Hijo.
"Llegó Jesús y poniéndose en medio de ellos, les dijo: '¡La paz esté con ustedes!'.... Al decirles esto, sopló sobre ellos y añadió 'Reciban al Espíritu Santo. Los pecados serán perdonados a los que ustedes se los perdonen, y serán retenidos a los que ustedes se los retengan'" *(Jn 20,19-23).*
(Pausa)
Padre Nuestro... diez Ave Marías... Gloria...
Oh Jesús mío, perdona nuestros pecados, líbranos del fuego del infierno, lleva al Cielo a todas las almas, especialmente a las más necesitadas de tu misericordia y Fe en Tí, Jesucristo.

Segundo Misterio Glorioso: La Ascensión de Jesús al Cielo
El Corazón de María se regocija por la Ascensión de Jesús a la derecha del Padre, mientras su corazón anhela estar con su Hijo.

"Mientras los bendecía, se separó de ellos y fue llevado al cielo. Los discípulos, que se habían postrado delante de él, volvieron a Jerusalén con gran alegría..," *(Lc 24,51-52).*
(Pausa)
Padre Nuestro... diez Ave Marías... Gloria...
Oh Jesús mío... más necesitadas de tu misericordia y Esperanza en ti Jesucristo.

Tercer Misterio Glorioso: La Venida del Espíritu Santo sobre María y los Apóstoles

El Corazón de María obtiene del Corazón de Jesús que las gracias del Espíritu Santo llenen los corazónes de los Apóstoles y de los que forman la Iglesia.
"Entonces vieron aparecer unas lenguas como de fuego, que descendieron por separado sobre cada uno de ellos. Todos quedaron llenos del Espíritu Santo..." (*Hch 2,3-4).*
(Pausa)
Padre Nuestro... diez Ave Marías... Gloria...
Oh Jesús mío... más necesitadas de tu misericordia y los dones del Espíritu Santo.

Cuarto Misterio Glorioso: La Asunción de María al Cielo

Jesús lleva a su Madre en cuerpo y alma al cielo. Y así el Corazón de María se une al Corazón de Jesús al contemplar la visión beatífica.
"En ese momento se abrió el Templo de Dios que está en el cielo y quedó a la vista el Arca de la Alianza..." *(Ap 11,19).*
(Pausa)
Padre Nuestro... diez Ave Marías... Gloria...
Oh Jesús mío... más necesitadas de tu misericordia y salvación.

Quinto Misterio Glorioso: La Coronación de María Santísima como Reina del Cielo y de la Tierra

Jesús es el Rey del Corazón de María y de nuestros corazones, mientras que María es la Reina del Corazón de Jesús y de nuestros corazones también.
"Y apareció en el cielo un gran signo: una Mujer revestida del sol, con la luna bajo sus pies y una corona de doce estrellas en su cabeza" *(Ap 12,1).*
(Pausa)
Padre Nuestro... diez Ave Marías... Gloria...

Oh Jesús mío... más necesitadas de tu misericordia y la mediación del Corazón de María.

Al finalizar con los cinco misterios, continuar con "La Salve" y la oración final.

Todos: **Dios te salve**, Reina y Madre de misericordia, vida, dulzura y esperanza nuestra, Dios te salve. A ti llamamos los desterrados hijos de Eva; a ti suspiramos, gimiendo y llorando, en este valle de lágrimas. Ea, pues, Señora, abogada nuestra, vuelve a nosotros esos tus ojos misericordiosos, y después de este destierro, muéstranos a Jesús, fruto bendito de tu vientre. ¡Oh clemente, oh piadosa, oh dulce Virgen María! Ruega por nosotros, Santa Madre de Dios, para que seamos dignos de alcanzar las promesas de nuestro Señor Jesucristo.

Guía: Oremos.

Todos: Oh Dios, cuyo Unigénito con su vida, muerte y resurrección nos mereció el premio de la eterna salvación: concédenos, te rogamos, que meditando estos misterios en el sacratísimo Rosario de la Virgen Santa María, imitemos lo que contienen, y alcancemos lo que prometen. Por el mismo Jesucristo Nuestro Señor. Amén.

Todos: Los que deseen recibir el Escapulario de la Virgen del Carmen, les sugerimos que dediquen un tiempo a conocer su significado. Tenemos disponible el folleto, *El Escapulario de la Virgen del Carmen,* para que puedan prepararse y recibirlo el próximo mes. Para aquellos que ya están preparados hoy, pueden recibirlo después de _____ *(oraciones por el Santo Padre o recepción de la Imagen Peregrina).*

Guía: Es muy importante, que por amor a Jesús, lo recibamos en la Sagrada Comunión con la intención de hacer reparación al Inmaculado Corazón de María.

Guía: Para la Comunión de reparación, favor de pasar a la página 26, allí encontrarán algunas oraciones que los ayudarán a meditar después de recibir la Sagrada Comunión.

2). **La Santa Misa y Comunión** *con la intención de hacer reparación al Inmaculado Corazón de María*

Intercesiones Generales

Con la aprobación del sacerdote, los guías de los Primeros Sábados Comunitarios pueden seleccionar algunas de las siguientes peticiones para ser leídas durante las intercesiones generales de la Misa. Simplemente listen los números de peticiones que se deseen mencionar.

Sacerdote o Guía:

Por las necesidades de la Iglesia

1. Que sepamos incrementar el agradecimiento a nuestro Creador y Redentor; especialmente por el Regalo de darse a Sí Mismo en la Sagrada Eucaristía y en Su Palabra, así como también, por el Regalo de darnos a Su Madre. **Todos:** *Señor, escucha nuestra oración.*

2. Que logremos hacer reparación al Inmaculado Corazón de María por los delitos contra su Inmaculada Concepción, su virginidad perpetua, su maternidad de Dios y de la humanidad, el amor de los niños hacia Ella y sus Imágenes Sagradas. Oremos al Señor. *Señor, escucha nuestra oración.*

3. Que el Señor reciba el sufrimiento de toda la humanidad como reparación a los Corazones de Jesús y María. Oremos al Señor. *Señor, escucha nuestra oración.*

4. Por el Santo Padre; que otorgue un nuevo impulso a la liturgia y devoción de los Primeros Sábados. Oremos al Señor. *Señor, escucha nuestra oración.*

5. Por la conversión de Rusia, y la reunificación de la Iglesia Católica y las iglesias del Este. Oremos al Señor. *Señor, escucha nuestra oración.*

6. Por la santificación de todos los obispos y sacerdotes. Oremos al Señor. *Señor, escucha nuestra oración.*

7. Que a Iglesia en *(nombre del país)* ejerza su parte para aumentar la santificación de la Iglesia Universal con la ayuda de los Primeros Sábados, y que esté preparada para la reunificación con las otras iglesias separadas. Oremos al Señor. *Señor, escucha nuestra oración.*

8. Por los sacerdotes, para que reciban la gracia de ser buenos confesores y por los penitentes, para que reciban la gracia de hacer buenas confesiones. Oremos al Señor. *Señor, escucha nuestra oración.*

9. Por la beatificación de la Sierva de Dios, Sor Lucia, y en acción de gracias por las canonizaciones de la Beata Jacinta y el Beato Francisco. Oremos al Señor. *Señor, escucha nuestra oración.*

Por las autoridades públicas y la salvación del mundo

10. Que través de los Primeros Sábados, muchas almas puedan ser salvadas del sufrimiento eterno del Infierno. Oremos al Señor. *Señor, escucha nuestra oración.*

11. Que podamos participar en la difusión de los Primeros Sábados en todo el mundo a través del Fuego Divino, y para que nuevos apóstoles participen en esta obra. Oremos al Señor. *Señor, escucha nuestra oración.*

12. Que nos unamos a la Iglesia y confiemos a la misericordia de Dios a aquellos niños que han muerto sin el rito del Bautismo. Oremos al Señor. *Señor, escucha nuestra oración.*

13. Que el pueblo judío pueda reconocer la plenitud de su religión en Jesús el Mesías y Su Reino, y que todos los pueblos de la tierra puedan llegar a la plenitud de la Fe en el Hijo de Dios. Oremos al Señor. *Señor, escucha nuestra oración.*

14. Por la conversión del pueblo musulmán. Oremos al Señor. *Señor, escucha nuestra oración.*

15. Que los líderes políticos pueden ser guiados por la luz de Cristo y dejen a un lado sus intereses propios. Oremos al Señor. *Señor, escucha nuestra oración.*

Por aquellos que se encuentran oprimidos en sus necesidades

16. Que las leyes de las naciones se fundamenten en la ley natural, y que todas las naciones reconozcan el derecho a la vida desde la concepción y la libertad de religión. Oremos al Señor. *Señor, escucha nuestra oración.*

17. Por los derechos de conciencia y libertad religiosa; para que todas las personas de buena voluntad puedan unirse para luchar contra las amenazas a estos derechos fundamentales *(USCCB)*. Oremos al Señor. *Señor, escucha nuestra oración.*

18. Para la sanación de las víctimas de abuso y para el arrepentimiento de sus causantes. Oremos al Señor. *Señor, escucha nuestra oración.*

19. Por la santificación y restauración de las familias. Oremos al Señor. *Señor, escucha nuestra oración.*

20. Por las madres y padres de niños abortados, así como los que han apoyado estos actos. Oremos al Señor. *Señor, escucha nuestra oración.*

21. Por los médicos y el personal médico que han participado en el aborto. Oremos al Señor. *Señor, escucha nuestra oración.*

22. Por las almas del Purgatorio. Oremos al Señor. *Señor, escucha nuestra oración.*

El sacerdote puede agregar otras peticiones.

La Comunión de Reparación

Después de recibir la Santa Comunión, se sugiere que meditemos en privado las siguientes oraciones de Fátima o con palabras similares.

Santísima Trinidad, Padre, Hijo y Espíritu Santo, te adoro profundamente y te ofrezco el Preciosísimo Cuerpo, Sangre, Alma y Divinidad de nuestro Señor Jesucristo, presente en todos los Sagrarios del mundo, en reparación por los ultrajes, sacrilegios e indiferencia con los que Él es ofendido. Por los méritos infinitos del Sagrado Corazón de Jesús y del Inmaculado Corazón de María, te pido por la conversión de los pobres pecadores.

Oh Santísima Trinidad, yo te adoro. Dios mío, Dios mío, te amo en el Santísimo Sacramento.

Oh Jesús, esto es por amor a Tí, por la conversión de los pecadores, por el Santo Padre, y en reparación por los pecados cometidos contra el Inmaculado Corazón de María. *(Jacinta agregó "el Santo Padre.")*

3). Meditación *con la intención de hacer reparación al Inmaculado Corazón de María*

Introducción a la Meditación

Para acompañar a nuestra Madre durante 15 minutos mientras meditamos en los misterios del Rosario, con la intención de hacer reparación a su Corazón Inmaculado, utilizaremos la forma comunitaria de lectio divina.

Meditación Comunitaria de la Escritura
(después de la Santa Misa)

Nota para el Guía:
Antes de dirigir la Meditación de las Sagrada Escritura, por favor asegúrese de leer el Apéndice F, y la información sobre la meditación en Apéndice G del libro "Los Primeros Sábados Comunitarios".

*No es necesario leer el texto en itálicas ni los subtítulos en negritas. Esté atento cuando se indique una "pausa" en las acotaciones, esta es de **cinco** segundos o más; cuando se indique una "pausa larga", esta es de **veinte** segundos o más. Se recomienda utilizar un reloj (digital, por ejemplo) para medir el tiempo.*

*La Meditación de la Sagrada Escritura debe tomar **al menos 15 minutos**, por lo que es posible que no se alcancen a leer todos los versículos en la meditación del mes correspondiente. El guía se mantiene de pie en el atril aproximadamente 20 minutos, dando suficiente tiempo para las instrucciones introductorias, la meditación y los demás pasos de la lectio divina.*

Guía: La meditación está por comenzar para todos aquellos que deseen cumplir con los Primeros Sábados en forma comunitaria. Pueden tomar una copia de los libros que se encuentran en _____. Favor de devolverlos antes de retirarse de la iglesia. Por favor, ir a la página 27 para continuar.

Guía:

• En espíritu de alabanza y acción de gracias al Padre por Su Hijo presente en nosotros en la Santa Eucaristía y por la gracia del Espíritu Santo, acompañaremos **a Nuestra Madre durante 15 minutos**

meditando por lo menos en dos misterios del Rosario, en el formato de *lectio divina*, con la intención **de hacer reparación a su Inmaculado Corazón**. *(Pausa)*

- Antes y después de leer uno o más versículos de la Escritura, haré una pregunta. *(Pausa)* Estas preguntas serán anunciadas en voz alta tres veces para ayudarnos a comprender. De lo contrario, debemos preguntarle en silencio después de cada lectura de la Escritura.

- Así como en los Hechos de los Apóstoles 8, Felipe guió al eunuco para que comprendiera la Escritura, ¿cuánto más puede nuestra Santísima Madre guiarnos entendiendo la Escritura? En cada lectura, le pediremos a nuestra Madre Santísima, que está llena del Espíritu Santo, que nos ayude a entender la Escritura.

- El Papa Benedicto XVI confirmó este método diciendo: "Dejemos ahora que sea ella, nuestra Madre y Maestra, quien nos guíe en la reflexión sobre la Palabra de Dios que hemos escuchado." *(19 de octubre de 2008)*.

- Empecemos con nuestra meditación... *(15 minutos deben comenzar ahora)*

Guía: Dios te salve María, llena eres de gracia, obtén la gracia del Espíritu Santo para que podamos comprender el significado de la Palabra de Dios y ser transformados por ella. *(Pausa breve.)* Sobre todo, ayúdanos a ser conscientes de que acabamos de recibir a tu Hijo en la Sagrada Comunión y que por la Eucaristía, Él habita en nosotros como Él habitó en ti en Su Concepción. Al hacerte compañía, condúcenos a Jesús en nuestro interior, y por favor acepta nuestra meditación y a nosotros en reparación por los pecados que han ofendido a tu Inmaculado Corazón. *(Pausa breve)*

Guía: Cerremos los ojos e imaginemos que estamos en compañía de nuestra Madre *(Pausa)*. Dejemos que Ella nos guíe a Jesús dentro de nosotros, a quíen hemos recibido en la Sagrada Eucaristía.

(Pausa) (Una pausa de aquí en adelante equivale aproximadamente a 5 segundos)

Guía: Consideremos primero las siguientes palabras de la Escritura con respecto al Niño Jesús: *"Al tercer día, lo hallaron en el Templo en medio de los doctores de la Ley, escuchándolos y haciéndoles preguntas." (Lc 2,46). (Pausa)*

Guía: Por favor, ir a la página ___ de su libro para la meditación correspondiente al mes de ____.

Después de la meditación de las Escrituras, continúe con lo siguiente:

Oración

Guía: Ahora, después de meditar en la Escritura, *"¿qué decimos a Nuestro Señor como respuesta a su Palabra?" (Verbum Domini).* Oremos juntos con nuestra Madre:

Todos: *"Yo soy la servidora del Señor, que se cumpla en mí lo que has dicho" (Lc 1,38).*

(Pausa)

Guía: Hagamos una pausa para orar en silencio.

(Pausa)

Aquí alguien puede hacer peticiones, intercesiones, acción de gracias y alabanza (cf. Verbum Domini).

La Contemplación

La luz que recibimos de esta meditación y oración nos lleva a la contemplación. Mientras contemplamos,"aceptamos como don de Dios su propia mirada al juzgar la realidad, y nos preguntamos: ¿Qué conversión de la mente, del corazón y de la vida nos pide el Señor?" (Verbum Domini).

Guía: Ahora contemplamos la siguiente pregunta a la luz de nuestra meditación sobre los misterios del Rosario: *"¿Qué conversión de la mente, del corazón y de la vida nos pide el Señor?" (Verbum Domini).*

(Pausa)

Guía: En compañía de María, y en silencio, volvamos nuestra mirada amorosa hacia Jesús junto al Padre y el Espíritu Santo que habitan en nuestro interior.

(Pausa larga)

En otras palabras, contemplemos a la Santísima Trinidad que habita dentro de nosotros.

La Acción

"Conviene recordar, además, que la lectio divina no termina su proceso hasta que no se llega a la acción (actio), que mueve la vida del creyente a convertirse en don para los demás por la caridad" (Verbum Domini). Entonces imitamos a nuestra Madre:

Guía: Ahora imitemos la acción de nuestra Madre después de recibir al Verbo hecho Carne. Y juntos decimos:

Todos: "En aquellos días, María partió y fue sin demora a un pueblo de la montaña de Judá" *(Lc 1,39)*.

(Breve pausa)

Guía: Y juntos digamos:

Todos: Hacemos de nuestra "vida [un]… regalo para los demás en la caridad" *(Verbum Domini)*.

(Pausa)

Guía: Con esto concluye nuestra meditación comunitaria en compañía de nuestra Madre.

Guía: Recemos las letanías de la Santísima Virgen María en la página 31.

Como un regalo adicional a nuestra Madre, es recomendable rezar la Letanías de la Santísima Virgen María.

2.25 Letanías de la Santísima Virgen María (Letanías Lauretanas)

Guía: Invoquemos a nuestra Madre en alabanza y agradecimiento por permitirnos acompañarla durante nuestra meditación en los misterios del Rosario.

Señor, ten piedad, *Todos:* Señor, ten piedad.
Cristo, ten piedad, *Todos:* Cristo, ten piedad.
Señor, ten piedad, *Todos:* Señor, ten piedad.
Cristo, óyenos, *Todos:* Cristo, óyenos.
Cristo, escúchanos, *Todos:* Cristo, escúchanos.
Dios, Padre celestial, *Todos: ten piedad de nosotros.*
Dios, Hijo Redentor del mundo, *Todos: ten piedad de nosotros*
Dios, Espíritu Santo, *Todos: ten piedad de nosotros*
Trinidad Santa, un solo Dios, *Todos: ten piedad de nosotros*
Santa María, *Todos: ruega por nosotros*
Santa Madre de Dios, *[etc.]*
Santa Virgen de las vírgenes,
Madre de Cristo,
Madre de la Iglesia,
Madre de la divina gracia,
Madre purísima,
Madre castísima,
Madre virginal,
Madre inmaculada,
Madre amable,
Madre admirable,
Madre del buen consejo,
Madre del Creador,
Madre del Salvador,
Virgen prudentísima,
Virgen digna de veneración,
Virgen digna de alabanza,
Virgen poderosa,
Virgen clemente,
Virgen fiel,
Espejo de justicia,
Trono de la sabiduría,
Causa de nuestra alegría,

Vaso spiritual,
Vaso digno de honor,
Vaso insigne devoción,
Rosa mística,
Torre de David,
Torre de marfil,
Casa de oro,
Arca de la alianza,
Puerta del cielo,
Estrella de la mañana,
Salud de los enfermos,
Refugio de los pecadores,
Consuelo de los afligidos,
Auxilio de los cristianos,
Reina de los Ángeles,
Reina de los Patriarcas,
Reina de los Profetas,
Reina de los Apóstoles,
Reina de los Mártires,
Reina de los Confesores,
Reina de las Vírgenes,
Reina de todos los Santos,
Reina concebida sin pecado original,
Reina asunta al cielo,
Reina del Santísimo Rosario,
Reina de la familia,
Reina de la paz,

Cordero de Dios, que quitas los pecados del mundo,
Todos: perdónanos, Señor
Cordero de Dios, que quitas los pecados del mundo,
Todos: escúchanos, Señor
Cordero de Dios, que quitas los pecados del mundo,
Todos: ten piedad de nosotros
Ruega por nosotros, Santa Madre de Dios,
Todos: para que seamos dignos de alcanzar las promesas de nuestro Señor Jesucristo.

Oremos.
Todos: Te rogamos nos concedas, Señor Dios nuestro, gozar de continua salud de alma y cuerpo, y por la gloriosa intercesión de la

bienaventurada siempre Virgen María, vernos libres de las tristezas de la vida presente y disfrutar de las alegrías eternas. Por Cristo nuestro Señor. Amén.

2.26 Intención de Ganar Indulgencias y Oraciones por las Intenciones del Santo Padre

Después de las Letanías de la Santísima Virgen María, el guía concluye Los Primeros Sábados Comunitarios con las oraciones por el Santo Padre. Con estas oraciones se cumplen uno de los requisitos para obtener indulgencia plenaria.

Guía: Hagamos la intención de obtener alguna indulgencia otorgada por la Iglesia para nosotros y para las almas en el Purgatorio.

Guía: Oremos por las intenciones del Santo Padre.

Todos: Padre Nuestro…
Ave María…
Gloria…

Después de las oraciones por el Santo Padre o la recepción de la Imagen de la Virgen Peregrina, los fieles que no hayan recibido previamente el Escapulario de la Virgen del Carmen podrán recibirlo con la aprobación del párroco. Aunque Los Primeros Sábados Comunitarios pueden realizarse sin la recepción del Escapulario de la Virgen del Carmen, debemos recordar que Sor Lucia dijo que el rosario y el escapulario son inseparables.

Nota para el Guía:

Al concluir la devoción de Los Primeros Sábados Comunitarios con unas palabras apropiadas, se invitará a aquellos que deseen recibir el Escapulario de la Virgen del Carmen a ir al área designada (ver Apéndice II). También se pueden anunciar recordatorios importantes, como los próximos Primeros Sábados Comunitarios.

o bien,

Si la parroquia realiza la devoción de la Visitación de la Virgen Peregrina de la Iglesia al Hogar, se puede continuar diciendo lo siguiente:

Guía: Ahora tendremos la recepción de la Imagen de la Virgen Peregrina representando el misterio de la Visitación. Como acabamos de escuchar, hay que convertir en acción la meditación de *lectio divina* y realizar obras de caridad. Después de recibir el Verbo hecho carne, María hizo esto y partió apresuradamente a visitar a su prima de avanzada edad que estaba embarazada *(véase el Apéndice I)*.

2.27 Recepción del Escapulario de la Virgen del Carmen

Los guías deberán consultar el Apéndice II para aprender a otorgar los escapularios benditos. (cf. también el libro "Los Primeros Sábados Comunitarios," Parte II, Sección Uno, Cap. 2, pregunta 39).

2.3 *Meditaciones Mensuales en los Misterios del Rosario*

Enero

Meditación comunitaria de la Escritura en forma de lectio divina

Guía: Para armonizar con el tiempo litúrgico de la Navidad, meditaremos en el Tercer Misterio Gozoso, El Nacimiento de Jesús, comenzando con Mt 1,18.

(Pausa)

Lectura

Guía: Oh Santísima Madre, ¿qué dice esta Sagrada Escritura? *(basado en Verbum Domini, Papa Benedicto XVI)*

18 Este fue el origen de Jesucristo: María, su madre, estaba comprometida con José y, cuando todavía no han vivido juntos, concibió un hijo por obra del Espíritu Santo.

19 José, su esposo, que era un hombre justo y no quería denunciarla públicamente, resolvió abandonarla en secreto.

(Pausa)

Meditación

Guía: Oh Santísima Madre, ¿qué nos quiere decir esta Sagrada Escritura, personalmente? *(basado en Verbum Domini)*

(Pausa larga) (una pausa larga equivale aproximadamente a 20 segundos)

Lectura

Guía: Oh Santísima Madre, ¿qué dice esta Sagrada Escritura?

20 Mientras pensaba en esto, el Angel del Señor se le apareció en sueños y le dijo: «José, hijo de David, no temas recibir a María, tu esposa, porque lo que ha sido engendrado en ella proviene del Espíritu Santo.
21 Ella dará a luz un hijo, a quien pondrás el nombre de Jesús, porque él salvará a su Pueblo de todos sus pecados».

(Pausa)

Meditación

Guía: Oh Santísima Madre, ¿qué nos quiere decir esta Sagrada Escritura, personalmente?

(Pausa larga)

Lectura y meditación

El guía continuará leyendo versículos de la Escritura y haciendo una pausa, sin hacer preguntas, hasta el siguiente misterio. Los fieles pueden seguir haciéndose las dos preguntas en silencio después de cada lectura de la Escritura.

22 Todo esto sucedió para que se cumpliera lo que el Señor había anunciado por el Profeta:
23 "La Virgen concebirá y dará a luz un hijo a quien pondrán el nombre de Emanuel", que traducido significa: «Dios con nosotros».
24 Al despertar, José hizo lo que el Angel del Señor le había ordenado: llevó a María a su casa, *(Pausa larga)*

Después de cada lectura, silenciosamente preguntar:

Oh Santísima Madre, ¿qué dice esta Sagrada Escritura?
Oh Santísima Madre, ¿qué nos quiere decir esta Sagrada Escritura,
personalmente?

Guía: Ahora continuamos con pasajes de Mt, 2.

1 Cuando nació Jesús, en Belén de Judea, bajo el reinado de Herodes, unos magos de Oriente se presentaron en Jerusalén
2 y preguntaron: « ¿Dónde está el rey de los judíos que acaba de nacer? Porque vimos su estrella en Oriente y hemos venido a adorarlo». *(Pausa larga)*

3 Al enterarse, el rey Herodes quedó desconcertado y con él toda Jerusalén.
4 Entonces reunió a todos los sumos sacerdotes y a los escribas del pueblo, para preguntarles en qué lugar debía nacer el Mesías. *(Pausa larga)*

5 «En Belén de Judea, –le respondieron–, porque así está escrito por el Profeta:
6 "Y tú, Belén, tierra de Judá, ciertamente no eres la menor entre las principales ciudades de Judá, porque de ti surgirá un jefe que será el Pastor de mi pueblo, Israel"». *(Pausa larga)*

7 Herodes mandó llamar secretamente a los magos y después de averiguar con precisión la fecha en que había aparecido la estrella,
8 los envió a Belén, diciéndoles: «Vayan e infórmense cuidadosamente acerca del niño, y cuando lo hayan encontrado, avísenme para que yo también vaya a rendirle homenaje». *(Pausa larga)*

9 Después de oír al rey, ellos partieron. La estrella que habían visto en Oriente los precedía, hasta que se detuvo en el lugar donde estaba el niño.
10 Cuando vieron la estrella se llenaron de alegría, *(Pausa larga)*

11 y al entrar en la casa, encontraron al niño con María, su madre, y postrándose, le rindieron homenaje. Luego, abriendo sus cofres, le ofrecieron dones, oro, incienso y mirra. *(Pausa larga)*

12 Y como recibieron en sueños la advertencia de no regresar al palacio de Herodes, volvieron a su tierra por otro camino.
13 Después de la partida de los magos, el Ángel del Señor se apareció en sueños a José y le dijo: «Levántate, toma al niño y a su madre, huye a Egipto y permanece allí hasta que yo te avise, porque Herodes va a buscar al niño para matarlo». *(Pausa larga)*

14 José se levantó, tomó de noche al niño y a su madre, y se fue a Egipto.

15 Allí permaneció hasta la muerte de Herodes, para que se cumpliera lo que el Señor había anunciado por medio del Profeta: "Desde Egipto llamé a mi hijo". *(Pausa larga)*

16 Al verse engañado por los magos, Herodes se enfureció y mandó matar, en Belén y sus alrededores, a todos los niños menores de dos años, de acuerdo con la fecha que los mayor le habían indicado. *(Pausa larga)*

17 Así se cumplió lo que había sido anunciado por el profeta Jeremías:
18 "En Ramá se oyó una voz, hubo lágrimas y gemidos: es Raquel, que llora a sus hijos y no quiere que la consuelen, porque ya no existen". *(Pausa larga)*

Guía: En armonía con la fiesta litúrgica que celebramos este mes, ahora meditaremos en El Primer Misterio Luminoso, el Bautismo de Nuestro Señor, comenzando con Mt 3,13.

(Pausa)

Lectura

Guía: Oh Santísima Madre, ¿qué dice esta Sagrada Escritura?

13 Entonces Jesús fue desde Galilea hasta el Jordán y se presentó a Juan para ser bautizado por él.

(Pausa)

Meditación

Guía: Oh Santísima Madre, ¿qué nos quiere decir esta Sagrada Escritura, personalmente?

(Pausa larga)

Lectura y meditación

El guía continuará leyendo versículos de la Escritura y haciendo una pausa, sin hacer preguntas. Los fieles pueden seguir haciéndose las dos preguntas en silencio después de cada lectura de la Escritura.

14 Juan se resistía, diciéndole: «Soy yo el que tiene necesidad de ser bautizado por ti, ¡y eres tú el que viene a mi encuentro!». *(Pausa larga)*

15 Pero Jesús le respondió: «Ahora déjame hacer esto, porque conviene que así cumplamos todo lo que es justo». Y Juan se lo permitió. *(Pausa larga)*

16 Apenas fue bautizado, Jesús salió del agua. En ese momento se abrieron los cielos, y vio al Espíritu de Dios descender como una paloma y dirigirse hacia Él. *(Pausa larga)*

17 Y se oyó una voz del cielo que decía: «Este es mi Hijo muy querido, en quien tengo puesta toda mi predilección». *(Pausa larga)*

Al finalizar los 15 minutos, decir:

Guía: Para continuar, por favor ir a "Oración" en la página 29 de sus libros.

Febrero

Meditación comunitaria de la Escritura en forma de lectio divina

Guía: En armonía con la fiesta litúrgica, ahora meditaremos en El Cuarto Misterio Gozoso, La Presentación del Niño Jesús en el Templo, comenzando con Lc 2,22.

(Pausa)

Lectura

Guía: Oh Santísima Madre, ¿qué dice esta Sagrada Escritura? *(basado en Verbum Domini, Papa Benedicto XVI)*

22 Cuando llegó el día fijado por la Ley de Moisés para la purificación, llevaron al niño a Jerusalén para presentarlo al Señor,

(Pausa)

Meditación

Guía: Oh Santísima Madre, ¿qué nos quiere decir esta Sagrada Escritura, personalmente? *(basado en Verbum Domini)*

(Pausa larga) (una pausa larga equivale aproximadamente a 20 segundos)

Lectura

Guía: Oh Santísima Madre, ¿qué dice esta Sagrada Escritura?

23 como está escrito en la Ley: "Todo varón primogénito será consagrado al Señor".

(Pausa)

Meditación

Guía: Oh Santísima Madre, ¿qué nos quiere decir esta Sagrada Escritura, personalmente?

(Pausa larga)

Lectura y meditación

El guía continuará leyendo versículos de la Escritura y haciendo una pausa, sin hacer preguntas, hasta el siguiente misterio. Los fieles pueden seguir haciéndose las dos preguntas en silencio después de cada lectura de la Escritura.

24 También debían ofrecer un sacrificio un par de tórtolas o de pichones de paloma, como ordena la Ley del Señor. *(Pausa larga)*

Después de cada lectura, silenciosamente preguntar:
Oh Santísima Madre, ¿qué dice esta Sagrada Escritura?
Oh Santísima Madre, ¿qué nos quiere decir esta Sagrada Escritura, personalmente?

25 Vivía entonces en Jerusalén un hombre llamado Simeón, que era justo y piadoso, y esperaba el consuelo de Israel. El Espíritu Santo estaba en él
26 y le había revelado que no moriría antes de ver al Mesías del Señor. *(Pausa larga)*

27 Conducido por el mismo Espíritu, fue al Templo, y cuando los padres de Jesús llevaron al niño para cumplir con él las prescripciones de la Ley,
28 el Angel lo tomó en sus brazos y alabó a Dios, diciendo:
29 «Ahora, Señor, puedes dejar que tu servidor muera en paz, como lo has prometido, *(Pausa larga)*

30 porque mis ojos han visto la salvación
31 que preparaste delante de todos los pueblos:
32 luz para iluminar a las naciones paganas y gloria de tu pueblo Israel».
(Pausa larga)

33 Su padre y su madre estaban admirados por lo que oían decir de él.
34 Simeón, después de bendecirlos, dijo a María, la madre: «Este niño será causa de caída y de elevación para muchos en Israel; será signo de contradicción, *(Pausa larga)*

35 y a ti misma una espada te atravesará el corazón. Así se manifestarán claramente los pensamientos íntimos de muchos». *(Pausa larga)*

36 Había también allí una profetisa llamada Ana, hija de Fanuel, de la familia de Aser, mujer ya entrada en años, que, casada en su juventud, había vivido siete años con su marido.
37 Desde entonces había permanecido viuda, y tenía ochenta y cuatro años. No se apartaba del Templo, sirviendo a Dios noche y día con ayunos y oraciones. *(Pausa larga)*

38 Se presentó en ese mismo momento y se puso a dar gracias a Dios. Y hablaba acerca del niño a todos los que esperaban la redención de Jerusalén. *(Pausa larga)*

39 Después de cumplir todo lo que ordenaba la Ley del Señor, volvieron a su ciudad de Nazaret, en Galilea.
40 El niño iba creciendo y se fortalecía, lleno de sabiduría, y la gracia de Dios estaba con él. *(Pausa larga)*

Guía: Ahora meditaremos en el Quinto Misterio Gozoso, El Niño Encontrado en el Templo, comenzando con Lc, 2,41.

(Pausa)

Lectura

Guía: Oh Santísima Madre, ¿qué dice esta Sagrada Escritura?

41 Sus padres iban todos los años a Jerusalén en la fiesta de la Pascua.
42 Cuando el niño cumplió doce años, subieron como de costumbre,
43 y acabada la fiesta, María y José regresaron, pero Jesús permaneció en Jerusalén sin que ellos se dieran cuenta.

(Pausa)

Meditación

Guía: Oh Santísima Madre, ¿qué nos quiere decir esta Sagrada Escritura, personalmente?

(Pausa larga)

Lectura y meditación

El guía continuará leyendo versículos de la Escritura y haciendo una pausa, sin hacer preguntas. Los fieles pueden seguir haciéndose las dos preguntas en silencio después de cada lectura de la Escritura.

44 Creyendo que estaba en la caravana, caminaron todo un día y después comenzaron a buscarlo entre los parientes y conocidos.
45 Como no lo encontraron, volvieron a Jerusalén en busca de él. *(Pausa larga)*

46 Al tercer día, lo hallaron en el Templo en medio de los doctores de la Ley, escuchándolos y haciéndoles preguntas.
47 Y todos los que los oían estaban asombrados de su inteligencia y sus respuestas. *(Pausa larga)*

48 Al ver, sus padres quedaron maravillados y su madre le dijo: «Hijo mío, ¿por qué nos has hecho esto? Piensa que tu padre y yo te buscábamos angustiados». *(Pausa larga)*

49 Jesús les respondió: « ¿Por qué me buscaban? ¿No sabían que yo debo ocuparme de los asuntos de mi Padre?».
50 Ellos no entendieron lo que les decía. *(Pausa larga)*

51 El regresó con sus padres a Nazaret y vivía sujeto a ellos. Su madre conservaba estas cosas en su corazón.

52 Jesús iba creciendo en sabiduría, en estatura y en gracia, delante de Dios y de los hombres. *(Pausa larga)*

Guía: Ahora continuamos con pasajes de Sab 7.

8 La preferí a los cetros y a los tronos, y tuve por nada las riquezas en comparación con ella.
9 No la igualé a la piedra más preciosa, porque todo el oro, comparado con ella, es un poco de arena; y la plata, a su lado, será considerada como barro. *(Pausa larga)*

10 La amé más que a la salud y a la hermosura, y la quise más que a la luz del día, porque su resplandor no tiene ocaso.
11 Junto con ella me vinieron todos los bienes, y ella tenía en sus manos una riqueza incalculable. *(Pausa larga)*

12 Yo gocé de todos esos bienes, porque la Sabiduría es la que los dirige, aunque ignoraba que ella era su madre. *(Pausa larga)*

13 La aprendí con sinceridad y la comunico sin envidia, y a nadie le oculto sus riquezas.
14 Porque ella es para los hombres un tesoro inagotable: los que la adquieren se ganan la amistad de Dios, ya que son recomendados a él por los dones de la instrucción. *(Pausa larga)*

Al finalizar los 15 minutos, decir:

Guía: Para continuar, por favor ir a "Oración" en la página 29 de sus libros.

Marzo (A)

Meditación comunitaria de la Escritura en forma de lectio divina

Si la Fiesta de la Anunciación se celebra en marzo, entonces use esta meditación. De lo contrario, use Marzo (B).

Guía: Anticipándonos a la solemnidad litúrgica que celebraremos este mes, meditaremos sobre El Primer Misterio Gozoso, La Anunciación del Señor, comenzando con Lc 1,26.

(Pausa)

Lectura

Guía: Oh Santísima Madre, ¿qué dice esta Sagrada Escritura? *(basado en Verbum Domini, Papa Benedicto XVI)*

26 En el sexto mes, el ángel Gabriel fue enviado por Dios a una ciudad de Galilea, llamada Nazaret,
27 a una virgen que estaba comprometida con un hombre perteneciente a la familia de David, llamado José. El nombre de la virgen era María.

(Pausa)

Meditación

Guía: Oh Santísima Madre, ¿qué nos quiere decir esta Sagrada Escritura, personalmente? *(basado en Verbum Domini)*

(Pausa larga) (una pausa larga equivale aproximadamente a 20 segundos)

Lectura

Guía: Oh Santísima Madre, ¿qué dice esta Sagrada Escritura?

28 El Angel entró en su casa y la saludó, diciendo: « ¡Alégrate!, llena de gracia, el Señor está contigo».
29 Al oír estas palabras, ella quedó desconcertada y se preguntaba qué podía significar ese saludo.

(Pausa)

Meditación

Guía: Oh Santísima Madre, ¿qué nos quiere decir esta Sagrada Escritura, personalmente?

(Pausa larga)

Lectura y meditación

El guía continuará leyendo versículos de la Escritura y haciendo una pausa, sin hacer preguntas, hasta el siguiente misterio. Los fieles pueden seguir haciéndose las dos preguntas en silencio después de cada lectura de la Escritura.

30 Pero el Angel le dijo: «No temas, María, porque Dios te ha favorecido.
31 Concebirás y darás a luz un hijo, y le pondrás por nombre Jesús; *(Pausa larga)*

Después de cada lectura, silenciosamente preguntar:
Oh Santísima Madre, ¿qué dice esta Sagrada Escritura?
Oh Santísima Madre, ¿qué nos quiere decir esta Sagrada Escritura, personalmente?

32 El será grande y será llamado Hijo del Altísimo. El Señor Dios le dará el trono de David, su padre,
33 reinará sobre la casa de Jacob para siempre y su reino no tendrá fin». *(Pausa larga)*

34 María dijo al Angel: « ¿Cómo puede ser eso, si yo no tengo relaciones con ningún hombre?».
35 El Angel le respondió: «El Espíritu Santo descenderá sobre ti y el poder del Altísimo te cubrirá con su sombra. Por eso el niño será Santo y será llamado Hijo de Dios. *(Pausa larga)*

36 También tu parienta Isabel concibió un hijo a pesar de su vejez, y la que era considerada estéril, ya se encuentra en su sexto mes,
37 porque no hay nada imposible para Dios». *(Pausa larga)*

38 María dijo entonces: «Yo soy la servidora del Señor, que se cumpla en mí lo que has dicho».Y el Angel se alejó. *(Pausa larga)*

Guía: Para armonizar con el tiempo litúrgico de la Cueresma, meditaremos en El Primer Misterio Doloroso, La Agonía de Jesús en el Huerto, comenzando con Mt 26,36.

(Pausa)

Lectura

Guía: Oh Santísima Madre, ¿qué dice esta Sagrada Escritura?

36 Cuando Jesús llegó con sus discípulos a una propiedad llamada Getsemaní, les dijo: «Quédense aquí, mientras yo voy allí a orar».
37 Y llevando con él a Pedro y a los dos hijos de Zebedeo, comenzó a entristecerse y a angustiarse.

(Pausa)

Meditación

Guía: Oh Santísima Madre, ¿qué nos quiere decir esta Sagrada Escritura, personalmente?

(Pausa larga)

Lectura y meditación

El guía continuará leyendo versículos de la Escritura y haciendo una pausa, sin hacer preguntas. Los fieles pueden seguir haciéndose las dos preguntas en silencio después de cada lectura de la Escritura.

38 Entonces les dijo: «Mi alma siente una tristeza de muerte. Quédense aquí, velando conmigo».
39 Y adelantándose un poco, cayó con el rostro en tierra, orando así: «Padre mío, si es posible, que pase lejos de mí este cáliz, pero no se haga mi voluntad, sino la tuya». *(Pausa larga)*

40 Después volvió junto a sus discípulos y los encontró durmiendo. Jesús dijo a Pedro: « ¿Es posible que no hayan podido quedarse despiertos conmigo, ni siquiera una hora?
41 Estén prevenidos y oren para no caer en tentación, porque el espíritu está dispuesto, pero la carne es débil». *(Pausa larga)*

42 Se alejó por segunda vez y suplicó: «Padre mío, si no puede pasar este cáliz sin que yo lo beba, que se haga tu voluntad».
43 Al regresar los encontró otra vez durmiendo, porque sus ojos se cerraban de sueño.
44 Nuevamente se alejó de ellos y oró por tercera vez, repitiendo las mismas palabras. *(Pausa larga)*

45 Luego volvió junto a sus discípulos y les dijo: «Ahora pueden dormir y descansar: ha llegado la hora en que el Hijo del hombre va a ser entregado en manos de los pecadores.
46 ¡Levántense! ¡Vamos! Ya se acerca el que me va a entregar». *(Pausa larga)*

47 Jesús estaba hablando todavía, cuando llegó Judas, uno de los Doce, acompañado de una multitud con espadas y palos, enviada por los sumos sacerdotes y los ancianos del pueblo.
48 El traidor les había dado la señal: «Es aquel a quien voy a besar. Deténganlo». *(Pausa larga)*

49 Inmediatamente se acercó a Jesús, diciéndole: «Salud, Maestro», y lo besó.
50 Jesús le dijo: «Amigo, ¡cumple tu cometido!». Entonces se abalanzaron sobre él y lo detuvieron. *(Pausa larga)*

51 Uno de los que estaban con Jesús sacó su espada e hirió al servidor del Sumo Sacerdote, cortándole la oreja.
52 Jesús le dijo: «Guarda tu espada, porque el que a hierro mata a hierro muere. *(Pausa larga)*

53 ¿O piensas que no puedo recurrir a mi Padre? él pondría inmediatamente a mi disposición más de doce legiones de ángeles.
54 Pero entonces, ¿cómo se cumplirían las Escrituras, según las cuales debe suceder así?». *(Pausa larga)*

55 Y en ese momento dijo Jesús a la multitud: « ¿Soy acaso un ladrón, para que salgan a arrestarme con espadas y palos? Todos los días me sentaba a enseñar en el Templo, y ustedes no me detuvieron».
56 Todo esto sucedió para que se cumpliera lo que escribieron los profetas. Entonces todos los discípulos lo abandonaron y huyeron. *(Pausa larga)*

Guía: Ahora meditaremos en el Segundo Misterio Doloroso, La Flagelación de Jesús atado a la columna, comenzando con Mt 27,24.

(Pausa)

24 Al ver que no se llegaba a nada, sino que aumentaba el tumulto, Pilato hizo traer agua y se lavó las manos delante de la multitud, diciendo: «Yo soy inocente de esta sangre. Es asunto de ustedes». *(Pausa larga)*

25 Y todo el pueblo respondió: «Que su sangre caiga sobre nosotros y sobre nuestros hijos».

26 Entonces, Pilato puso en libertad a Barrabás; y a Jesús, después de haberlo hecho azotar, lo entregó para que fuera crucificado. *(Pausa larga)*

Al finalizar los 15 minutos, decir:

Guía: Para continuar, por favor ir a "Oración" en la página 29 de sus libros.

Marzo (B)

Meditación comunitaria de la Escritura en forma de lectio divina

Si la Fiesta de la Anunciación no se celebra en marzo, entonces use esta meditación. De lo contrario, use Marzo (A).

Guía: Para armonizar con el tiempo litúrgico de la Cueresma, meditaremos en El Primer Misterio Doloroso, La Agonía de Jesús en el Huerto, comenzando con Mt 26,36.

(Pausa)

Lectura

Guía: Oh Santísima Madre, ¿qué dice esta Sagrada Escritura? *(basado en Verbum Domini, Papa Benedicto XVI)*

36 Cuando Jesús llegó con sus discípulos a una propiedad llamada Getsemaní, les dijo: «Quédense aquí, mientras yo voy allí a orar».
37 Y llevando con él a Pedro y a los dos hijos de Zebedeo, comenzó a entristecerse y a angustiarse.

(Pausa)

Meditación

Guía: Oh Santísima Madre, ¿qué nos quiere decir esta Sagrada Escritura, personalmente? *(basado en Verbum Domini)*

(Pausa larga) (una pausa larga equivale aproximadamente a 20 segundos)

Lectura

Guía: Oh Santísima Madre, ¿qué dice esta Sagrada Escritura?

38 Entonces les dijo: «Mi alma siente una tristeza de muerte. Quédense aquí, velando conmigo».

39 Y adelantándose un poco, cayó con el rostro en tierra, orando así: «Padre mío, si es posible, que pase lejos de mí este cáliz, pero no se haga mi voluntad, sino la tuya».

(Pausa)

Meditación

Guía: Oh Santísima Madre, ¿qué nos quiere decir esta Sagrada Escritura, personalmente?

(Pausa larga)

Lectura y meditación

El guía continuará leyendo versículos de la Escritura y haciendo una pausa, sin hacer preguntas, hasta el siguiente misterio. Los fieles pueden seguir haciéndose las dos preguntas en silencio después de cada lectura de la Escritura.

40 Después volvió junto a sus discípulos y los encontró durmiendo. Jesús dijo a Pedro: «¿Es posible que no hayan podido quedarse despiertos conmigo, ni siquiera una hora?

41 Estén prevenidos y oren para no caer en tentación, porque el espíritu está dispuesto, pero la carne es débil». *(Pausa larga)*

Después de cada lectura, silenciosamente preguntar:
Oh Santísima Madre, ¿qué dice esta Sagrada Escritura?
Oh Santísima Madre, ¿qué nos quiere decir esta Sagrada Escritura, personalmente?

42 Se alejó por segunda vez y suplicó: «Padre mío, si no puede pasar este cáliz sin que yo lo beba, que se haga tu voluntad».
43 Al regresar los encontró otra vez durmiendo, porque sus ojos se cerraban de sueño.
44 Nuevamente se alejó de ellos y oró por tercera vez, repitiendo las mismas palabras. *(Pausa larga)*

45 Luego volvió junto a sus discípulos y les dijo: «Ahora pueden dormir y descansar: ha llegado la hora en que el Hijo del hombre va a ser entregado en manos de los pecadores.
46 ¡Levántense! ¡Vamos! Ya se acerca el que me va a entregar». *(Pausa larga)*

47 Jesús estaba hablando todavía, cuando llegó Judas, uno de los Doce, acompañado de una multitud con espadas y palos, enviada por los sumos sacerdotes y los ancianos del pueblo.
48 El traidor les había dado la señal: «Es aquel a quien voy a besar. Deténganlo». *(Pausa larga)*

49 Inmediatamente se acercó a Jes2ús, diciéndole: «Salud, Maestro», y lo besó.
50 Jesús le dijo: «Amigo, ¡cumple tu cometido!». Entonces se abalanzaron sobre él y lo detuvieron. *(Pausa larga)*

51 Uno de los que estaban con Jesús sacó su espada e hirió al servidor del Sumo Sacerdote, cortándole la oreja.
52 Jesús le dijo: «Guarda tu espada, porque el que a hierro mata a hierro muere. *(Pausa larga)*

53 ¿O piensas que no puedo recurrir a mi Padre? El pondría inmediatamente a mi disposición más de doce legiones de ángeles.
54 Pero entonces, ¿cómo se cumplirían las Escrituras, según las cuales debe suceder así?». *(Pausa larga)*

55 Y en ese momento dijo Jesús a la multitud: «¿Soy acaso un ladrón, para que salgan a arrestarme con espadas y palos? Todos los días me sentaba a enseñar en el Templo, y ustedes no me detuvieron».
56 Todo esto sucedió para que se cumpliera lo que escribieron los profetas. Entonces todos los discípulos lo abandonaron y huyeron. *(Pausa larga)*

Guía: Ahora meditaremos en el Segundo Misterio Doloroso, La Flagelación de Jesús atado a la columna, comenzando con Mt 27,24.

(Pausa)

Lectura

Guía: Oh Santísima Madre, ¿qué dice esta Sagrada Escritura?

24 Al ver que no se llegaba a nada, sino que aumentaba el tumulto, Pilato hizo traer agua y se lavó las manos delante de la multitud, diciendo: «Yo soy inocente de esta sangre. Es asunto de ustedes».

(Pausa)

Meditación

Guía: Oh Santísima Madre, ¿qué nos quiere decir esta Sagrada Escritura, personalmente?

(Pausa larga)

Lectura y meditación

El guía continuará leyendo versículos de la Escritura y haciendo una pausa, sin hacer preguntas. Los fieles pueden seguir haciéndose las dos preguntas en silencio después de cada lectura de la Escritura.

25 Y todo el pueblo respondió: «Que su sangre caiga sobre nosotros y sobre nuestros hijos».
26 Entonces, Pilato puso en libertad a Barrabás; y a Jesús, después de haberlo hecho azotar, lo entregó para que fuera crucificado. *(Pausa larga)*

Guía: Ahora continuamos con pasajes de Isaias 53.

1 ¿Quién creyó lo que nosotros hemos oído y a quién se le reveló el brazo del Señor?
2 El creció como un retoño en su presencia, como una raíz que brota de una tierra árida, sin forma ni hermosura que atrajera nuestras miradas, sin un aspecto que pudiera agradarnos. *(Pausa larga)*

3 Despreciado, desechado por los hombres, abrumado de dolores y habituado al sufrimiento, como alguien ante quien se aparta el rostro, tan despreciado, que lo tuvimos por nada. *(Pausa larga)*

4 Pero él soportaba nuestros sufrimientos y cargaba con nuestras dolencia, y nosotros lo considerábamos golpeado, herido por Dios y humillado.
5 El fue traspasado por nuestras rebeldías y triturado por nuestras iniquidades. El castigo que nos da la paz recayó sobre él y por sus heridas fuimos sanados. *(Pausa larga)*

6 Todos andábamos errantes como ovejas, siguiendo cada uno su propio camino, y el Señor hizo recaer sobre él las iniquidades de todos nosotros. *(Pausa larga)*

7 Al ser maltratado, se humillaba y ni siquiera abría su boca: como un cordero llevado al matadero, como una oveja muda ante el que la esquila, él no abría su boca. *(Pausa larga)*

8 Fue detenido y juzgado injustamente, y ¿quién se preocupó de su suerte? Porque fue arrancado de la tierra de los vivientes y golpeado por las rebeldías de mi pueblo.
9 Se le dio un sepulcro con los malhechores y una tumba con los impíos, aunque no había cometido violencia ni había engaño en su boca. *(Pausa larga)*

10 El Señor quiso aplastarlo con el sufrimiento. Si ofrece su vida en sacrificio de reparación, verá su descendencia, prolongará sus días, y la voluntad del Señor se cumplirá por medio de él. *(Pausa larga)*

11 A causa de tantas fatigas, él verá la luz y, al saberlo, quedará saciado. Mi Servidor justo justificará a muchos y cargará sobre sí las faltas de ellos. *(Pausa larga)*

12 Por eso le daré una parte entre los grandes y él repartirá el botín junto con los poderosos. Porque expuso su vida a la muerte y fue contado entre los culpables, siendo así que llevaba el pecado de muchos e intercedía en favor de los culpables. *(Pausa larga)*

Al finalizar los 15 minutos, decir:

Guía: Para continuar, por favor ir a "Oración" en la página 29 de sus libros.

Abril (A)

Meditación comunitaria de la Escritura en forma de lectio divina

Si el primer sábado de abril es durante la Cuaresma, entonces use esta meditación. De lo contrario, use Abril (B).

Guía: Para armonizar con el tiempo litúrgico de la Cueresma, meditaremos en El Tercer Misterio Doloroso, La Coronación de Jesús con Espinas, comenzando con Mt 27,27.

(Pausa)

Lectura

Guía: Oh Santísima Madre, ¿qué dice esta Sagrada Escritura? *(basado en Verbum Domini, Papa Benedicto XVI)*

27 Los soldados del gobernador llevaron a Jesús al pretorio y reunieron a toda la guardia alrededor de él.
28 Entonces lo desvistieron y le pusieron un mano rojo.
29 Luego tejieron una corona de espinas y la colocaron sobre su cabeza, pusieron una caña en su mano derecha y, doblando la rodilla delante de él, se burlaban, diciendo: «Salud, rey de los judíos».

(Pausa)

Meditación

Guía: Oh Santísima Madre, ¿qué nos quiere decir esta Sagrada Escritura, personalmente? *(basado en Verbum Domini)*

(Pausa larga) (una pausa larga equivale aproximadamente a 20 segundos)

Lectura

Guía: Oh Santísima Madre, ¿qué dice esta Sagrada Escritura?

30 Y escupiéndolo, le quitaron la caña y con ella le golpeaban la cabeza.

31 Después de haberse burlado de él, le quitaron el manto, le pusieron de nuevo sus vestiduras y lo llevaron a crucificar.

(Pausa)

Meditación

Guía: Oh Santísima Madre, ¿qué nos quiere decir esta Sagrada Escritura, personalmente?

(Pausa larga)

Guía: Ahora meditaremos en el Cuarto Misterio Doloroso, Jesús Lleva la Cruz, comenzando con Lc 23,26.

(Pausa)

Lectura

Guía: Oh Santísima Madre, ¿qué dice esta Sagrada Escritura?

26 Cuando lo llevaban, detuvieron a un tal Simón de Cirene, que volvía del campo, y lo cargaron con la cruz, para que la llevara detrás de Jesús.

(Pausa)

Meditación

Guía: Oh Santísima Madre, ¿qué nos quiere decir esta Sagrada Escritura, personalmente?

(Pausa larga)

Lectura y meditación

El guía continuará leyendo versículos de la Escritura y haciendo una pausa, sin hacer preguntas. Los fieles pueden seguir haciéndose las dos preguntas en silencio después de cada lectura de la Escritura.

27 Lo seguían muchos del pueblo y un buen número de mujeres, que se golpeaban el pecho y se lamentaban por él. *(Pausa larga)*

Después de cada lectura, silenciosamente preguntar:
Oh Santísima Madre, ¿qué dice esta Sagrada Escritura?
Oh Santísima Madre, ¿qué nos quiere decir esta Sagrada Escritura, personalmente?

28 Pero Jesús, volviéndose hacia ellas, les dijo: «¡Hijas de Jerusalén!, no lloren por mí; lloren más bien por ustedes y por sus hijos. *(Pausa larga)*

29 Porque se acerca el tiempo en que se dirá: "¡Felices las estériles, felices los senos que no concibieron y los pechos que no amamantaron!" *(Pausa larga)*

30 Entonces se dirá a las montañas: "¡Caigan sobre nosotros!", y a los cerros: "¡Sepúltennos!"
31 Porque si así tratan a la leña verde, ¿qué será de la leña seca?». *(Pausa larga)*

Guía: Ahora meditaremos en el Quinto Misterio Doloroso, La Crucifixión y Muerte de Jesús, comenzando con Jn 19,17.

(Pausa)

17 Jesús, cargando sobre sí la cruz, salió de la ciudad para dirigirse al lugar llamado «del Cráneo», en hebreo «Gólgota».
18 Allí lo crucificaron; y con él a otros dos, uno a cada lado y Jesús en el medio. *(Pausa larga)*

19 Pilato redactó una inscripción que decía: "Jesús el Nazareno, rey de los judíos", y la hizo poner sobre la cruz.
20 Muchos judíos leyeron esta inscripción, porque el lugar donde Jesús fue crucificado quedaba cerca de la ciudad y la inscripción estaba en hebreo, latín y griego. *(Pausa larga)*

21 Los sumos sacerdotes de los judíos dijeron a Pilato: «No escribas: "El rey de los judíos". sino: "Este ha dicho: Yo soy el rey de los judíos"».
22 Pilato respondió: «Lo escrito, escrito está». *(Pausa larga)*

23 Después que los soldados crucificaron a Jesús, tomaron sus vestiduras y las dividieron en cuatro partes, una para cada uno. Tomaron también la túnica, y como no tenía costura, porque estaba hecha de una sola pieza de arriba abajo,

24 se dijeron entre sí: «No la rompamos. Vamos a sortearla, para ver a quién le toca.» *(Pausa larga)*

Así se cumplió la Escritura que dice: Se repartieron mis vestiduras y sortearon mi túnica. Esto fue lo que hicieron los soldados. *(Pausa larga)*

25 Junto a la cruz de Jesús, estaba su madre y la hermana de su madre, María, mujer de Cleofás, y María Magdalena. 26 Al ver a la madre y cerca de ella al discípulo a quien el amaba, Jesús le dijo: «Mujer, aquí tienes a tu hijo». *(Pausa larga)*

27 Luego dijo al discípulo: «Aquí tienes a tu madre». Y desde aquel momento, el discípulo la recibió en su casa. *(Pausa larga)*

28 Después, sabiendo que ya todo estaba cumplido, y para que la Escritura se cumpliera hasta el final, Jesús dijo: Tengo sed.
29 Había allí un recipiente lleno de vinagre; empaparon en él una esponja, la ataron a una rama de hisopo y se la acercaron a la boca.
30 Después de beber el vinagre, dijo Jesús: «Todo se ha cumplido». E inclinando la cabeza, entregó su espíritu. *(Pausa larga)*

31 Era el día de la Preparación de la Pascua. Los judíos pidieron a Pilato que hiciera quebrar las piernas de los crucificados y mandara retirar sus cuerpos, para que no quedaran en la cruz durante el sábado, porque ese sábado era muy solemne. *(Pausa larga)*

32 Los soldados fueron y quebraron las piernas a los dos que habían sido crucificados con Jesús.
33 Cuando llegaron a él, al ver que ya estaba muerto, no le quebraron las piernas, *(Pausa larga)*

34 sino que uno de los soldados le atravesó el costado con la lanza, y en seguida brotó sangre y agua.
35 El que vio esto lo atestigua: su testimonio es verdadero y él sabe que dice la verdad, para que también ustedes crean. *(Pausa larga)*

36 Esto sucedió para que se cumpliera la Escritura que dice: "No le quebrarán ninguno de sus huesos".
37 Y otro pasaje de la Escritura, dice: "Verán al que ellos mismos traspasaron". *(Pausa larga)*

Al finalizar los 15 minutos, decir:

Guía: Para continuar, por favor ir a "Oración" en la página 29 de sus libros.

Abril (B)

Meditación comunitaria de la Escritura en forma de lectio divina

Si el primer sábado de abril es durante el tiempo de Pascua, entonces use esta meditación. De lo contrario, use Abril (A).

Guía: Para armonizar con el tiempo litúrgico de la Pascua, meditaremos en el Primer Misterio Glorioso, La Resurrección de Jesús de entre los Muertos, comenzando con Jn 20,11.

(Pausa)

Lectura

Guía: Oh Santísima Madre, ¿qué dice esta Sagrada Escritura? *(basado en Verbum Domini, Papa Benedicto XVI)*

11 María se había quedado afuera, llorando junto al sepulcro. Mientras lloraba, se asomó al sepulcro
12 y vio a dos ángeles vestidos de blanco, sentados uno a la cabecera y otro a los pies del lugar donde había sido puesto el cuerpo de Jesús.

(Pausa)

Meditación

Guía: Oh Santísima Madre, ¿qué nos quiere decir esta Sagrada Escritura, personalmente? *(basado en Verbum Domini)*

(Pausa larga) (una pausa larga equivale aproximadamente a 20 segundos)

Lectura

Guía: Oh Santísima Madre, ¿qué dice esta Sagrada Escritura?

13 Ellos le dijeron: «Mujer, ¿por qué lloras?». María respondió: «Porque se han llevado a mi Señor y no sé dónde lo han puesto».
14 Al decir esto se dio vuelta y vio a Jesús, que estaba allí, pero no lo reconoció.

(Pausa)

Meditación

Guía: Oh Santísima Madre, ¿qué nos quiere decir esta Sagrada Escritura, personalmente?

(Pausa larga)

Lectura y meditación

El guía continuará leyendo versículos de la Escritura y haciendo una pausa, sin hacer preguntas, hasta el siguiente misterio. Los fieles pueden seguir haciéndose las dos preguntas en silencio después de cada lectura de la Escritura.

15 Jesús le preguntó: «Mujer, ¿por qué lloras? ¿A quién buscas?». Ella, pensando que era el cuidador de la huerta, le respondió: «Señor, si tú lo has llevado, dime dónde lo has puesto y yo iré a buscarlo». *(Pausa larga)*

Después de cada lectura, silenciosamente preguntar:
Oh Santísima Madre, ¿qué dice esta Sagrada Escritura?
Oh Santísima Madre, ¿qué nos quiere decir esta Sagrada Escritura,
personalmente?

16 Jesús le dijo: «¡María!». Ella lo reconoció y le dijo en hebreo: «¡Raboní!», es decir «¡Maestro!».
17 Jesús le dijo: «No me retengas, porque todavía no he subido al Padre. Ve a decir a mis hermanos: «Subo a mi Padre, el Padre de ustedes; a mi Dios, el Dios de ustedes».
18 María Magdalena fue a anunciar a los discípulos que había visto al Señor y que él le había dicho esas palabras. *(Pausa larga)*

19 Al atardecer de ese mismo día, el primero de la semana, estando cerradas las

puertas del lugar donde se encontraban los discípulos, por temor a los judíos, llegó Jesús y poniéndose en medio de ellos, les dijo: «¡La paz esté con ustedes!». *(Pausa larga)*

20 Mientras decía esto, les mostró sus manos y su costado. Los discípulos se llenaron de alegría cuando vieron al Señor.
21 Jesús les dijo de nuevo: «¡La paz esté con ustedes! Como el Padre me envió a mí, yo también los envío a ustedes» *(Pausa larga)*

22 Al decirles esto, sopló sobre ellos y añadió «Reciban al Espíritu Santo.
23 Los pecados serán perdonados a los que ustedes se los perdonen, y serán retenidos a los que ustedes se los retengan». *(Pausa larga)*

24 Tomás, uno de los Doce, de sobrenombre el Mellizo, no estaba con ellos cuando llegó Jesús.
25 Los otros discípulos le dijeron: «¡Hemos visto al Señor!». El les respondió: «Si no veo la marca de los clavos en sus manos, si no pongo el dedo en el lugar de los clavos y la mano en su costado, no lo creeré». *(Pausa larga)*

26 Ocho días más tarde, estaban de nuevo los discípulos reunidos en la casa, y estaba con ellos Tomás. Entonces apareció Jesús, estando cerradas las puertas, se puso en medio de ellos y les dijo: «¡La paz esté con ustedes!».
27 Luego dijo a Tomás: «Trae aquí tu dedo: aquí están mis manos. Acerca tu mano: Métela en mi costado. En adelante no seas incrédulo, sino hombre de fe». *(Pausa larga)*

28 Tomas respondió: «¡Señor mío y Dios mío!.
29 Jesús le dijo: «Ahora crees, porque me has visto. ¡Felices los que creen sin haber visto!». *(Pausa larga)*

Guía: Ahora meditaremos en el Segundo Misterio Glorioso, La Ascension de Jesús al Cielo comenzando con Hch 1,6.

(Pausa)

Lectura

Guía: Oh Santísima Madre, ¿qué dice esta Sagrada Escritura?

6 Los que estaban reunidos le preguntaron: «Señor, ¿es ahora cuando vas a restaurar el reino de Israel?».

7 El les respondió: «No les corresponde a ustedes conocer el tiempo y el momento que el Padre ha establecido con su propia autoridad.

(Pausa)

Meditación

Guía: Oh Santísima Madre, ¿qué nos quiere decir esta Sagrada Escritura, personalmente?

(Pausa larga)

Lectura y meditación

El guía continuará leyendo versículos de la Escritura y haciendo una pausa, sin hacer preguntas. Los fieles pueden seguir haciéndose las dos preguntas en silencio después de cada lectura de la Escritura.

8 Pero recibirán la fuerza del Espíritu Santo que descenderá sobre ustedes, y serán mis testigos en Jerusalén, en toda Judea y Samaría, y hasta los confines de la tierra».
9 Dicho esto, los Apóstoles lo vieron elevarse, y una nube lo ocultó de la vista de ellos. *(Pausa larga)*

10 Como permanecían con la mirada puesta en el cielo mientras Jesús subía, se les aparecieron dos hombres vestidos de blanco,
11 que les dijeron: «Hombres de Galilea, ¿por qué siguen mirando al cielo? Este Jesús que les ha sido quitado y fue elevado al cielo, vendrá de la misma manera que lo han visto partir». *(Pausa larga)*

12 Los Apóstoles regresaron entonces del monte de los Olivos a Jerusalén: la distancia entre ambos sitios es la que está permitida recorrer en día sábado.
13 Cuando llegaron a la ciudad, subieron a la sala donde solían reunirse. Eran Pedro, Juan, Santiago, Andrés, Felipe y Tomás, Bartolomé, Mateo, Santiago, hijo de Alfeo, Simón el Zelote y Judas, hijo de Santiago. *(Pausa larga)*

14 Todos ellos, íntimamente unidos, se dedicaban a la oración, en compañía de algunas mujeres, de María, la madre de Jesús, y de sus hermanos. *(Pausa larga)*.

Guía: Ahora meditaremos en el Tercer Misterio Glorioso, La Venida del Espíritu Santo sobre María y los Apóstoles comenzando con Hch 2,1.

(Pausa)

1 Al llegar el día de Pentecostés, estaban todos reunidos en el mismo lugar.
2 De pronto, vino del cielo un ruido, semejante a una fuerte ráfaga de viento, que resonó en toda la casa donde se encontraban. *(Pausa larga)*

3 Entonces vieron aparecer unas lenguas como de fuego, que descendieron por separado sobre cada uno de ellos.
4 Todos quedaron llenos del Espíritu Santo, y comenzaron a hablar en distintas lenguas, según el Espíritu les permitía expresarse. *(Pausa larga)*

5 Había en Jerusalén judíos piadosos, venidos de todas las naciones del mundo.
6 Al oírse este ruido, se congregó la multitud y se llenó de asombro, porque cada uno los oía hablar en su propia lengua. *(Pausa larga)*

7 Con gran admiración y estupor decían: «¿Acaso estos hombres que hablan no son todos galileos?
8 ¿Cómo es que cada uno de nosotros los oye en su propia lengua? *(Pausa larga)*

9 Partos, medos y elamitas, los que habitamos en la Mesopotamia o en la misma Judea, en Capadocia, en el Ponto y en Asia Menor,
10 en Frigia y Panfilia, en Egipto, en la Libia Cirenaica, los peregrinos de Roma,
11 judíos y prosélitos, cretenses y árabes, todos los oímos proclamar en nuestras lenguas las maravillas de Dios». *(Pausa larga)*

Al finalizar los 15 minutos, decir:

Guía: Para continuar, por favor ir a "Oración" en la página 29 de sus libros.

Mayo (A)

Meditación comunitaria de la Escritura en forma de lectio divina

Si el primer sábado de abril fue durante la Cuaresma, entonces use esta meditación. De lo contrario, use Mayo (B).

Guía: Para armonizar con el tiempo litúrgico de la Pascua, meditaremos en el Primer Misterio Glorioso, la Resurrección de Jesús de entre los Muertos, comenzando con Jn 20,11.

(Pausa)

Lectura

Guía: Oh Santísima Madre, ¿qué dice esta Sagrada Escritura? *(basado en Verbum Domini, Papa Benedicto XVI)*

11 María se había quedado afuera, llorando junto al sepulcro. Mientras lloraba, se asomó al sepulcro
12 y vio a dos ángeles vestidos de blanco, sentados uno a la cabecera y otro a los pies del lugar donde había sido puesto el cuerpo de Jesús.

(Pausa)

Meditación

Guía: Oh Santísima Madre, ¿qué nos quiere decir esta Sagrada Escritura, personalmente? *(basado en Verbum Domini)*

(Pausa larga) (una pausa larga equivale aproximadamente a 20 segundos)

Lectura

Guía: Oh Santísima Madre, ¿qué dice esta Sagrada Escritura?

13 Ellos le dijeron: «Mujer, ¿por qué lloras?». María respondió: «Porque se han llevado a mi Señor y no sé dónde lo han puesto».
14 Al decir esto se dio vuelta y vio a Jesús, que estaba allí, pero no lo reconoció.

(Pausa)

Meditación

Guía: Oh Santísima Madre, ¿qué nos quiere decir esta Sagrada Escritura, personalmente?

(Pausa larga)

Lectura y meditación

El guía continuará leyendo versículos de la Escritura y haciendo una pausa, sin hacer preguntas, hasta el siguiente misterio. Los fieles pueden seguir haciéndose las dos preguntas en silencio después de cada lectura de la Escritura.

15 Jesús le preguntó: «Mujer, ¿por qué lloras? ¿A quién buscas?». Ella, pensando que era el cuidador de la huerta, le respondió: «Señor, si tú lo has llevado, dime dónde lo has puesto y yo iré a buscarlo». *(Pausa larga)*

Después de cada lectura, silenciosamente preguntar:
Oh Santísima Madre, ¿qué dice esta Sagrada Escritura?
Oh Santísima Madre, ¿qué nos quiere decir esta Sagrada Escritura,
personalmente?

16 Jesús le dijo: «¡María!». Ella lo reconoció y le dijo en hebreo: «¡Raboní!», es decir «¡Maestro!».
17 Jesús le dijo: «No me retengas, porque todavía no he subido al Padre. Ve a decir a mis hermanos: «Subo a mi Padre, el Padre de ustedes; a mi Dios, el Dios de ustedes».
18 María Magdalena fue a anunciar a los discípulos que había visto al Señor y que él le había dicho esas palabras. *(Pausa larga)*

19 Al atardecer de ese mismo día, el primero de la semana, estando cerradas las puertas del lugar donde se encontraban los discípulos, por temor a los judíos, llegó Jesús y poniéndose en medio de ellos, les dijo: «¡La paz esté con ustedes!». *(Pausa larga)*

20 Mientras decía esto, les mostró sus manos y su costado. Los discípulos se llenaron de alegría cuando vieron al Señor.
21 Jesús les dijo de nuevo: «¡La paz esté con ustedes! Como el Padre me envió a mí, yo también los envío a ustedes» *(Pausa larga)*

22 Al decirles esto, sopló sobre ellos y añadió «Reciban al Espíritu Santo.
23 Los pecados serán perdonados a los que ustedes se los perdonen, y serán retenidos a los que ustedes se los retengan». *(Pausa larga)*

24 Tomás, uno de los Doce, de sobrenombre el Mellizo, no estaba con ellos cuando llegó Jesús.

25 Los otros discípulos le dijeron: «¡Hemos visto al Señor!». El les respondió: «Si no veo la marca de los clavos en sus manos, si no pongo el dedo en el lugar de los clavos y la mano en su costado, no lo creeré». *(Pausa larga)*

26 Ocho días más tarde, estaban de nuevo los discípulos reunidos en la casa, y estaba con ellos Tomás. Entonces apareció Jesús, estando cerradas las puertas, se puso en medio de ellos y les dijo: «¡La paz esté con ustedes!».
27 Luego dijo a Tomás: «Trae aquí tu dedo: aquí están mis manos. Acerca tu mano: Métela en mi costado. En adelante no seas incrédulo, sino hombre de fe». *(Pausa larga)*

28 Tomas respondió: «¡Señor mío y Dios mío!.
29 Jesús le dijo: «Ahora crees, porque me has visto. ¡Felices los que creen sin haber visto!». *(Pausa larga)*

Guía: Ahora meditaremos en el Segundo Misterio Glorioso, La Ascension de Jesús al Cielo comenzando con Hch 1,6.

(Pausa)

Lectura

Guía: Oh Santísima Madre, ¿qué dice esta Sagrada Escritura?

6 Los que estaban reunidos le preguntaron: «Señor, ¿es ahora cuando vas a restaurar el reino de Israel?».
7 El les respondió: «No les corresponde a ustedes conocer el tiempo y el momento que el Padre ha establecido con su propia autoridad.

(Pausa)

Meditación

Guía: Oh Santísima Madre, ¿qué nos quiere decir esta Sagrada Escritura, personalmente?

(Pausa larga)

Lectura y meditación

El guía continuará leyendo versículos de la Escritura y haciendo una pausa, sin hacer preguntas. Los fieles pueden seguir haciéndose las dos preguntas en silencio después de cada lectura de la Escritura.

8 Pero recibirán la fuerza del Espíritu Santo que descenderá sobre ustedes, y serán mis testigos en Jerusalén, en toda Judea y Samaría, y hasta los confines de la tierra».

9 Dicho esto, los Apóstoles lo vieron elevarse, y una nube lo ocultó de la vista de ellos. *(Pausa larga)*

10 Como permanecían con la mirada puesta en el cielo mientras Jesús subía, se les aparecieron dos hombres vestidos de blanco,

11 que les dijeron: «Hombres de Galilea, ¿por qué siguen mirando al cielo? Este Jesús que les ha sido quitado y fue elevado al cielo, vendrá de la misma manera que lo han visto partir». *(Pausa larga)*

12 Los Apóstoles regresaron entonces del monte de los Olivos a Jerusalén: la distancia entre ambos sitios es la que está permitida recorrer en día sábado.

13 Cuando llegaron a la ciudad, subieron a la sala donde solían reunirse. Eran Pedro, Juan, Santiago, Andrés, Felipe y Tomás, Bartolomé, Mateo, Santiago, hijo de Alfeo, Simón el Zelote y Judas, hijo de Santiago. *(Pausa larga)*

14 Todos ellos, íntimamente unidos, se dedicaban a la oración, en compañía de algunas mujeres, de María, la madre de Jesús, y de sus hermanos. *(Pausa larga).*

Guía: Ahora meditaremos en el Tercer Misterio Glorioso, La Venida del Espíritu Santo sobre María y los Apóstoles comenzando con Hch 2,1.

(Pausa)

1 Al llegar el día de Pentecostés, estaban todos reunidos en el mismo lugar.

2 De pronto, vino del cielo un ruido, semejante a una fuerte ráfaga de viento, que resonó en toda la casa donde se encontraban. *(Pausa larga)*

3 Entonces vieron aparecer unas lenguas como de fuego, que descendieron por separado sobre cada uno de ellos.

4 Todos quedaron llenos del Espíritu Santo, y comenzaron a hablar en distintas lenguas, según el Espíritu les permitía expresarse. *(Pausa larga)*

5 Había en Jerusalén judíos piadosos, venidos de todas las naciones del mundo.

6 Al oírse este ruido, se congregó la multitud y se llenó de asombro, porque

cada uno los oía hablar en su propia lengua. *(Pausa larga)*

7 Con gran admiración y estupor decían: «¿Acaso estos hombres que hablan no son todos galileos?
8 ¿Cómo es que cada uno de nosotros los oye en su propia lengua? *(Pausa larga)*

9 Partos, medos y elamitas, los que habitamos en la Mesopotamia o en la misma Judea, en Capadocia, en el Ponto y en Asia Menor,
10 en Frigia y Panfilia, en Egipto, en la Libia Cirenaica, los peregrinos de Roma,
11 judíos y prosélitos, cretenses y árabes, todos los oímos proclamar en nuestras lenguas las maravillas de Dios». *(Pausa larga)*

Al finalizar los 15 minutos, decir:

Guía: Para continuar, por favor ir a "Oración" en la página 29 de sus libros.

Mayo (B)

Meditación comunitaria de la Escritura en forma de lectio divina

Si el primer sábado de abril fue durante el tiempo de Pascua, entonces use esta meditación. De lo contrario, use Mayo (A).

Guía: Para armonizar con el tiempo litúrgico de la Pascua, meditaremos en el Segundo Misterio Glorioso, La Ascension de Jesús al Cielo comenzando con Hch 1,6.

(Pausa)

Lectura

Guía: Oh Santísima Madre, ¿qué dice esta Sagrada Escritura? *(basado en Verbum Domini, Papa Benedicto XVI)*

6 Los que estaban reunidos le preguntaron: «Señor, ¿es ahora cuando vas a restaurar el reino de Israel?».
7 El les respondió: «No les corresponde a ustedes conocer el tiempo y el momento que el Padre ha establecido con su propia autoridad.

(Pausa)

Meditación

Guía: Oh Santísima Madre, ¿qué nos quiere decir esta Sagrada Escritura, personalmente? *(basado en Verbum Domini)*

(Pausa larga) (una pausa larga equivale aproximadamente a 20 segundos)

Lectura

Guía: Oh Santísima Madre, ¿qué dice esta Sagrada Escritura?

8 Pero recibirán la fuerza del Espíritu Santo que descenderá sobre ustedes, y serán mis testigos en Jerusalén, en toda Judea y Samaría, y hasta los confines de la tierra».
9 Dicho esto, los Apóstoles lo vieron elevarse, y una nube lo ocultó de la vista de ellos.

(Pausa)

Meditación

Guía: Oh Santísima Madre, ¿qué nos quiere decir esta Sagrada Escritura, personalmente?

(Pausa larga)

Lectura y meditación

El guía continuará leyendo versículos de la Escritura y haciendo una pausa, sin hacer preguntas, hasta el siguiente misterio. Los fieles pueden seguir haciéndose las dos preguntas en silencio después de cada lectura de la Escritura.

10 Como permanecían con la mirada puesta en el cielo mientras Jesús subía, se les aparecieron dos hombres vestidos de blanco,

11 que les dijeron: «Hombres de Galilea, ¿por qué siguen mirando al cielo? Este Jesús que les ha sido quitado y fue elevado al cielo, vendrá de la misma manera que lo han visto partir». *(Pausa larga)*

Después de cada lectura, silenciosamente preguntar:
Oh Santísima Madre, ¿qué dice esta Sagrada Escritura?
Oh Santísima Madre, ¿qué nos quiere decir esta Sagrada Escritura,
personalmente?

12 Los Apóstoles regresaron entonces del monte de los Olivos a Jerusalén: la distancia entre ambos sitios es la que está permitida recorrer en día sábado.
13 Cuando llegaron a la ciudad, subieron a la sala donde solían reunirse. Eran Pedro, Juan, Santiago, Andrés, Felipe y Tomás, Bartolomé, Mateo, Santiago, hijo de Alfeo, Simón el Zelote y Judas, hijo de Santiago. *(Pausa larga)*

14 Todos ellos, íntimamente unidos, se dedicaban a la oración, en compañía de algunas mujeres, de María, la madre de Jesús, y de sus hermanos. *(Pausa larga)*

Guía: Ahora meditaremos en el Tercer Misterio Glorioso, La Venida del Espiritu Santo sobre María y los Apóstoles comenzando con Hch 2,1.

(Pausa)

Lectura

Guía: Oh Santísima Madre, ¿qué dice esta Sagrada Escritura?

1 Al llegar el día de Pentecostés, estaban todos reunidos en el mismo lugar.
2 De pronto, vino del cielo un ruido, semejante a una fuerte ráfaga de viento, que resonó en toda la casa donde se encontraban.

(Pausa)

Meditación

Guía: Oh Santísima Madre, ¿qué nos quiere decir esta Sagrada Escritura, personalmente?

(Pausa larga)

Lectura y meditación

67

El guía continuará leyendo versículos de la Escritura y haciendo una pausa, sin hacer preguntas. Los fieles pueden seguir haciéndose las dos preguntas en silencio después de cada lectura de la Escritura.

3 Entonces vieron aparecer unas lenguas como de fuego, que descendieron por separado sobre cada uno de ellos.
4 Todos quedaron llenos del Espíritu Santo, y comenzaron a hablar en distintas lenguas, según el Espíritu les permitía expresarse. *(Pausa larga)*

5 Había en Jerusalén judíos piadosos, venidos de todas las naciones del mundo.
6 Al oírse este ruido, se congregó la multitud y se llenó de asombro, porque cada uno los oía hablar en su propia lengua. *(Pausa larga)*

7 Con gran admiración y estupor decían: «¿Acaso estos hombres que hablan no son todos galileos?
8 ¿Cómo es que cada uno de nosotros los oye en su propia lengua? *(Pausa larga)*

9 Partos, medos y elamitas, los que habitamos en la Mesopotamia o en la misma Judea, en Capadocia, en el Ponto y en Asia Menor,
10 en Frigia y Panfilia, en Egipto, en la Libia Cirenaica, los peregrinos de Roma,
11 judíos y prosélitos, cretenses y árabes, todos los oímos proclamar en nuestras lenguas las maravillas de Dios». *(Pausa larga)*

Guía: Dado que es el mes de mayo en el que honramos a nuestra Madre Bendita de una manera especial, ahora meditaremos en el Quinto Misterio Glorioso, la Coronación de María como la Reina del Cielo y la Tierra, comenzando con Est 10,1 y continuando con Est Suplementos Griegos 10.

(Pausa)

1 El rey Asuero impuso un tributo al continente y a las islas del mar.
2 Por lo demás, todo lo concerniente a sus hazañas y a su valor, y el relato detallado de la alta dignidad que el rey confirió a Mardoqueo, ¿no está escrito en el libro de las Crónicas de los reyes de Media y de Persia?
3 Porque Mardoqueo, el judío, era el segundo después del rey Asuero. Los judíos lo consideraban un gran hombre y era amado por la multitud de sus hermanos; él procuraba el bienestar de su pueblo y promovía la felicidad de toda su estirpe. *(Pausa larga)*

1 Mardoqueo decía: «¡Todo esto proviene de Dios!
2 Yo recuerdo el sueño que tuve acerca de esto y no se ha omitido un solo detalle:
3 había una pequeña fuente convertida en río, luego una luz además del sol y agua abundante. El río es Ester, a la que el rey tomó por esposa y convirtió en reina; *(Pausa larga)*

4 los dos dragones somos yo y Amán;
5 las naciones son las que se reunieron para hacer desaparecer el nombre de los judíos.
6 y mi nación es Israel, los que clamaron a Dios y fueron salvados. El Señor ha liberado a su pueblo, el Señor nos ha librado de todos esos males, y Dios hizo esos grandes signos y prodigios, como nunca sucedió entre las naciones. *(Pausa larga)*

Guía: Ahora continuamos con pasajes de Sab 7.

8 La preferí a los cetros y a los tronos, y tuve por nada las riquezas en comparación con ella.
9 No la igualé a la piedra más preciosa, porque todo el oro, comparado con ella, es un poco de arena; y la plata, a su lado, será considerada como barro. *(Pausa larga)*

10 La amé más que a la salud y a la hermosura, y la quise más que a la luz del día, porque su resplandor no tiene ocaso.
11 Junto con ella me vinieron todos los bienes, y ella tenía en sus manos una riqueza incalculable. *(Pausa larga)*

12 Yo gocé de todos esos bienes, porque la Sabiduría es la que los dirige, aunque ignoraba que ella era su madre. *(Pausa larga)*

13 La aprendí con sinceridad y la comunico sin envidia, y a nadie le oculto sus riquezas.
14 Porque ella es para los hombres un tesoro inagotable: los que la adquieren se ganan la amistad de Dios, ya que son recomendados a él por los dones de la instrucción. *(Pausa larga)*

Guía: Ahora continuamos con pasajes de Ap, 12.

1 Y apareció en el cielo un gran signo: una Mujer revestida del sol, con la luna bajo sus pies y una corona de doce estrellas en su cabeza.
2 Estaba embarazada y gritaba de dolor porque iba a dar a luz. *(Pausa larga)*

3 Y apareció en el cielo otro signo: un enorme Dragón rojo como el fuego, con siete cabezas y diez cuernos, y en cada cabeza tenía una diadema.
4 Su cola arrastraba una tercera parte de las estrellas del cielo, y las precipitó sobre la tierra. *(Pausa larga)*

El Dragón se puso delante de la Mujer que iba a dar a luz, para devorar a su hijo en cuanto naciera.
5 La Mujer tuvo un hijo varón que debía regir a todas las naciones con un cetro de hierro. Pero el hijo fue elevado hasta Dios y hasta su trono, *(Pausa larga)*

6 y la Mujer huyó al desierto, donde Dios le había preparado un refugio para que allí fuera alimentada durante mil doscientos sesenta días. *(Pausa larga)*

Al finalizar los 15 minutos, decir:

Guía: Para continuar, por favor ir a "Oración" en la página 29 de sus libros.

Junio

Meditación comunitaria de la Escritura en forma de lectio divina

Guía: Recordando la solemnidad litúrgica del Santísimo Cuerpo y la Sangre de Cristo, ahora meditaremos sobre el Quinto Misterio Luminoso, La Institución de la Sagrada Eucaristía, comenzando con Jn 6,30.

(Pausa)

Lectura

Guía: Oh Santísima Madre, ¿qué dice esta Sagrada Escritura? *(basado en Verbum Domini, Papa Benedicto XVI)*

30 Y volvieron a preguntarle: «¿Qué signos haces para que veamos y creamos en ti? ¿Qué obra realizas?
31 Nuestros padres comieron el maná en el desierto, como dice la Escritura: Les dio de comer el pan bajado del cielo».

(Pausa)

Meditación

Guía: Oh Santísima Madre, ¿qué nos quiere decir esta Sagrada Escritura, personalmente? *(basado en Verbum Domini)*

(Pausa larga) (una pausa larga equivale aproximadamente a 20 segundos)

Lectura

Guía: Oh Santísima Madre, ¿qué dice esta Sagrada Escritura?

32 Jesús respondió: «Les aseguro que no es Moisés el que les dio el pan del cielo; mi Padre les da el verdadero pan del cielo;
33 porque el pan de Dios es el que desciende del cielo y da Vida al mundo».

(Pausa)

Meditación

Guía: Oh Santísima Madre, ¿qué nos quiere decir esta Sagrada Escritura, personalmente?

(Pausa larga)

Lectura y meditación

El guía continuará leyendo versículos de la Escritura y haciendo una pausa, sin hacer preguntas, hasta el siguiente misterio. Los fieles pueden seguir haciéndose las dos preguntas en silencio después de cada lectura de la Escritura.

34 Ellos le dijeron: «Señor, danos siempre de ese pan».
35 Jesús les respondió: «Yo soy el pan de Vida. El que viene a mí jamás tendrá hambre; el que cree en mí jamás tendrá sed. *(Pausa larga)*

Después de cada lectura, silenciosamente preguntar:
Oh Santísima Madre, ¿qué dice esta Sagrada Escritura?

Oh Santísima Madre, ¿qué nos quiere decir esta Sagrada Escritura, personalmente?

36 Pero ya les he dicho: ustedes me han visto y sin embargo no creen.

37 Todo lo que me da el Padre viene a mí, y al que venga a mí yo no lo rechazaré,

38 porque he bajado del cielo, no para hacer mi voluntad, sino la del que me envió. *(Pausa larga)*

39 La voluntad del que me ha enviado es que yo no pierda nada de lo que él me dio, sino que lo resucite en el último día.

40 Esta es la voluntad de mi Padre: que el que ve al Hijo y cree en él, tenga Vida eterna y que yo lo resucite en el último día». *(Pausa larga)*

52 Los judíos discutían entre sí, diciendo: «¿Cómo este hombre puede darnos a comer su carne?».

53 Jesús les respondió: «Les aseguro que si no comen la carne del Hijo del hombre y no beben su sangre, no tendrán Vida en ustedes. *(Pausa larga)*

54 El que come mi carne y bebe mi sangre tiene Vida eterna, y yo lo resucitaré en el último día.

55 Porque mi carne es la verdadera comida y mi sangre, la verdadera bebida.

56 El que come mi carne y bebe mi sangre permanece en mí y yo en él. *(Pausa larga)*

57 Así como yo, que he sido enviado por el Padre que tiene Vida, vivo por el Padre, de la misma manera, el que me come vivirá por mí. *(Pausa larga)*

58 Este es el pan bajado del cielo; no como el que comieron sus padres y murieron. El que coma de este pan vivirá eternamente».

59 Jesús enseñaba todo esto en la sinagoga de Cafarnaúm. *(Pausa larga)*

Guía: Ahora continuamos con pasajes de 1 Cor, 11.

27 Por eso, el que coma el pan o beba la copa del Señor indignamente tendrá que dar cuenta del Cuerpo y de la Sangre del Señor. *(Pausa larga)*

28 Que cada uno se examine a sí mismo antes de comer este pan y beber esta copa;

29 porque si come y bebe sin discernir el Cuerpo del Señor, come y bebe su propia condenación. *(Pausa larga)*

30 Por eso, entre ustedes hay muchos enfermos y débiles, y son muchos los que han muerto. *(Pausa larga)*

31 Si nos examináramos a nosotros mismos, no seríamos condenados.
32 Pero el Señor nos juzga y nos corrige para que no seamos condenados con el mundo. *(Pausa larga)*

Guía: Ahora meditaremos en el Tercer Misterio Glorioso, La Venida del Espiritu Santo comenzando con Hch 2, 1.

(Pausa)

Lectura

Guía: Oh Santísima Madre, ¿qué dice esta Sagrada Escritura?

1 Al llegar el día de Pentecostés, estaban todos reunidos en el mismo lugar.
2 De pronto, vino del cielo un ruido, semejante a una fuerte ráfaga de viento, que resonó en toda la casa donde se encontraban.

(Pausa)

Meditación

Guía: Oh Santísima Madre, ¿qué nos quiere decir esta Sagrada Escritura, personalmente?

(Pausa larga)

Lectura y meditación.

El guía continuará leyendo versículos de la Escritura y haciendo una pausa, sin hacer preguntas. Los fieles pueden seguir haciéndose las dos preguntas en silencio después de cada lectura de la Escritura.

3 Entonces vieron aparecer unas lenguas como de fuego, que descendieron por separado sobre cada uno de ellos.
4 Todos quedaron llenos del Espíritu Santo, y comenzaron a hablar en distintas lenguas, según el Espíritu les permitía expresarse. *(Pausa larga)*

5 Había en Jerusalén judíos piadosos, venidos de todas las naciones del mundo.
6 Al oírse este ruido, se congregó la multitud y se llenó de asombro, porque cada uno los oía hablar en su propia lengua. *(Pausa larga)*

7 Con gran admiración y estupor decían: «¿Acaso estos hombres que hablan no son todos galileos?
8 ¿Cómo es que cada uno de nosotros los oye en su propia lengua? *(Pausa larga)*

9 Partos, medos y elamitas, los que habitamos en la Mesopotamia o en la misma Judea, en Capadocia, en el Ponto y en Asia Menor,
10 en Frigia y Panfilia, en Egipto, en la Libia Cirenaica, los peregrinos de Roma,
11 judíos y prosélitos, cretenses y árabes, todos los oímos proclamar en nuestras lenguas las maravillas de Dios». *(Pausa larga)*

Al finalizar los 15 minutos, decir:

Guía: Para continuar, por favor ir a "Oración" en la página 29 de sus libros.

Julio

Meditación comunitaria de la Escritura en forma de lectio divina

Guía: Ahora meditaremos en el Segundo Misterio Luminoso, Las Bodas de Caná, comenzando con Jn 2,1.

(Pausa)

Lectura

Guía: Oh Santísima Madre, ¿qué dice esta Sagrada Escritura? *(basado en Verbum Domini, Papa Benedicto XVI)*

1 Tres días después se celebraron unas bodas en Caná de Galilea, y la madre de Jesús estaba allí.
2 Jesús también fue invitado con sus discípulos.

(Pausa)

Meditación

Guía: Oh Santísima Madre, ¿qué nos quiere decir esta Sagrada Escritura, personalmente? *(basado en Verbum Domini)*

(Pausa larga) (una pausa larga equivale aproximadamente a 20 segundos)

Lectura

Guía: Oh Santísima Madre, ¿qué dice esta Sagrada Escritura?

3 Y como faltaba vino, la madre de Jesús le dijo: «No tienen vino».
4 Jesús le respondió: «Mujer, ¿qué tenemos que ver nosotros? Mi hora no ha llegado todavía».

(Pausa)

Meditación

Guía: Oh Santísima Madre, ¿qué nos quiere decir esta Sagrada Escritura, personalmente?

(Pausa larga)

Lectura y meditación

El guía continuará leyendo versículos de la Escritura y haciendo una pausa, sin hacer preguntas, hasta el siguiente misterio. Los fieles pueden seguir haciéndose las dos preguntas en silencio después de cada lectura de la Escritura.

5 Pero su madre dijo a los sirvientes: «Hagan todo lo que él les diga». *(Pausa larga)*

Después de cada lectura, silenciosamente preguntar:
Oh Santísima Madre, ¿qué dice esta Sagrada Escritura?
Oh Santísima Madre, ¿qué nos quiere decir esta Sagrada Escritura, personalmente?

6 Había allí seis tinajas de piedra destinadas a los ritos de purificación de los judíos, que contenían unos cien litros cada una.
7 Jesús dijo a los sirvientes: «Llenen de agua estas tinajas». Y las llenaron hasta el borde. *(Pausa larga)*

8 «Saquen ahora, agregó Jesús, y lleven al encargado del banquete». Así lo hicieron.

9 El encargado probó el agua cambiada en vino y como ignoraba su o rigen, aunque lo sabían los sirvientes que habían sacado el agua, llamó al esposo *(Pausa larga)*

10 y les dijo: «Siempre se sirve primero el bu en vino y cuando todos han bebido bien, se trae el de inferior calidad. Tú, en cambio, has guardado el buen vino hasta este momento». *(Pausa larga)*

11 Este fue el primero de los signos de Jesús, y lo hizo en Caná de Galilea. Así manifestó su gloria, y sus discípulos creyeron en él.

12 Después de esto, descendió a Cafarnaúm con su madre, sus hermanos y sus discípulos, y permanecieron allí unos pocos días. *(Pausa larga)*

Guía: Ahora meditaremos en el Quinto Misterio Glorioso, La Coronación de María Santísima como Reina del Cielo y de la Tierra comenzando con Est 10,1 y continuando con Est Suplementos Griegos 10.

(Pausa)

Lectura

Guía: Oh Santísima Madre, ¿qué dice esta Sagrada Escritura?

1 El rey Asuero impuso un tributo al continente y a las islas del mar.

2 Por lo demás, todo lo concerniente a sus hazañas y a su valor, y el relato detallado de la alta dignidad que el rey confirió a Mardoqueo, ¿no está escrito en el libro de las Crónicas de los reyes de Media y de Persia?

3 Porque Mardoqueo, el judío, era el segundo después del rey Asuero. Los judíos lo consideraban un gran hombre y era amado por la multitud de sus hermanos; él procuraba el bienestar de su pueblo y promovía la felicidad de toda su estirpe.

(Pausa)

Meditación

Guía: Oh Santísima Madre, ¿qué nos quiere decir esta Sagrada Escritura, personalmente?

(Pausa larga)

Lectura y meditación

El guía continuará leyendo versículos de la Escritura y haciendo una pausa, sin hacer preguntas. Los fieles pueden seguir haciéndose las dos preguntas en silencio después de cada lectura de la Escritura.

1 Mardoqueo decía: «¡Todo esto proviene de Dios!
2 Yo recuerdo el sueño que tuve acerca de esto y no se ha omitido un solo detalle:
3 había una pequeña fuente convertida en río, luego una luz además del sol y agua abundante. El río es Ester, a la que el rey tomó por esposa y convirtió en reina; *(Pausa larga)*

4 los dos dragones somos yo y Amán;
5 las naciones son las que se reunieron para hacer desaparecer el nombre de los judíos.
6 y mi nación es Israel, los que clamaron a Dios y fueron salvados. El Señor ha liberado a su pueblo, el Señor nos ha librado de todos esos males, y Dios hizo esos grandes signos y prodigios, como nunca sucedió entre las naciones. *(Pausa larga)*

Guía: Ahora continuamos con pasajes de Sab 7.

8 La preferí a los cetros y a los tronos, y tuve por nada las riquezas en comparación con ella.
9 No la igualé a la piedra más preciosa, porque todo el oro, comparado con ella, es un poco de arena; y la plata, a su lado, será considerada como barro. *(Pausa larga)*

10 La amé más que a la salud y a la hermosura, y la quise más que a la luz del día, porque su resplandor no tiene ocaso.
11 Junto con ella me vinieron todos los bienes, y ella tenía en sus manos una riqueza incalculable. *(Pausa larga)*

12 Yo gocé de todos esos bienes, porque la Sabiduría es la que los dirige, aunque ignoraba que ella era su madre. *(Pausa larga)*

13 La aprendí con sinceridad y la comunico sin envidia, y a nadie le oculto sus riquezas.

14 Porque ella es para los hombres un tesoro inagotable: los que la adquieren se ganan la amistad de Dios, ya que son recomendados a él por los dones de la instrucción. *(Pausa larga)*

Guía: Ahora continuamos con pasajes de Ap, 12.

1 Y apareció en el cielo un gran signo: una Mujer revestida del sol, con la luna bajo sus pies y una corona de doce estrellas en su cabeza.

2 Estaba embarazada y gritaba de dolor porque iba a dar a luz. *(Pausa larga)*

3 Y apareció en el cielo otro signo: un enorme Dragón rojo como el fuego, con siete cabezas y diez cuernos, y en cada cabeza tenía una diadema.

4 Su cola arrastraba una tercera parte de las estrellas del cielo, y las precipitó sobre la tierra. *(Pausa larga)*

El Dragón se puso delante de la Mujer que iba a dar a luz, para devorar a su hijo en cuanto naciera.

5 La Mujer tuvo un hijo varón que debía regir a todas las naciones con un cetro de hierro. Pero el hijo fue elevado hasta Dios y hasta su trono, *(Pausa larga)*

6 y la Mujer huyó al desierto, donde Dios le había preparado un refugio para que allí fuera alimentada durante mil doscientos sesenta días. *(Pausa larga)*

Al finalizar los 15 minutos, decir:

Guía: Para continuar, por favor ir a "Oración" en la página 29 de sus libros.

Agosto

Meditación comunitaria de la Escritura en forma de lectio divina

Guía: Para armonizar con el tiempo de litúrgico, ahora meditaremos en el Cuarto Misterio Luminosa, La Transfiguración de Jesucristo, comenzando con Mt 17,1.

(Pausa)

Lectura

Guía: Oh Santísima Madre, ¿qué dice esta Sagrada Escritura? *(basado en Verbum Domini, Papa Benedicto XVI)*

1 Seis días después, Jesús tomó a Pedro, a Santiago y a su hermano Juan, y los llevó aparte a un monte elevado.
2 Allí se transfiguró en presencia de ellos: su rostro resplandecía como el sol y sus vestiduras se volvieron blancas como la luz.

(Pausa)

Meditación

Guía: Oh Santísima Madre, ¿qué nos quiere decir esta Sagrada Escritura, personalmente? *(basado en Verbum Domini)*

(Pausa larga) (una pausa larga equivale aproximadamente a 20 segundos)

Lectura

Guía: Oh Santísima Madre, ¿qué dice esta Sagrada Escritura?

3 De pronto se les aparecieron Moisés y Elías, hablando con Jesús.
4 Pedro dijo a Jesús: «Señor, ¡qué bien estamos aquí! Si quieres, levantará aquí mismo tres carpas, una para ti, otra para Moisés y otra para Elías».

(Pausa)

Meditación

Guía: Oh Santísima Madre, ¿qué nos quiere decir esta Sagrada Escritura, personalmente?

(Pausa larga)

Lectura y meditación

El guía continuará leyendo versículos de la Escritura y haciendo una pausa, sin hacer preguntas, hasta el siguiente misterio. Los fieles pueden seguir haciéndose las dos preguntas en silencio después de cada lectura de la Escritura.

5 Todavía estaba hablando, cuando una nube luminosa los cubrió con su sombra y se oyó una voz que decía desde la nube: «Este es mi Hijo muy querido, en quien tengo puesta mi predilección: escúchenlo». *(Pausa larga)*

Después de cada lectura, silenciosamente preguntar:
Oh Santísima Madre, ¿qué dice esta Sagrada Escritura?
Oh Santísima Madre, ¿qué nos quiere decir esta Sagrada Escritura,
personalmente?

6 Al oír esto, los discípulos cayeron con el rostro en tierra, llenos de temor.
7 Jesús se acercó a ellos, y tocándolos, les dijo: «Levántense, no tengan miedo».
8 Cuando alzaron los ojos, no vieron a nadie más que a Jesús solo. *(Pausa larga)*

Guía: Para armonizar con una solemnidad litúrgica que celebraremos este mes, ahora meditaremos sobre el Cuarto Misterio Glorioso, La Asunción de María al Cielo, comenzando con Ap 11,15.

(Pausa)

Lectura

Guía: Oh Santísima Madre, ¿qué dice esta Sagrada Escritura?

15 Cuando el séptimo Angel tocó la trompeta, resonaron en el cielo unas voces potentes que decían: «El dominio del mundo ha pasado a manos de nuestro Señor y de su Mesías, y él reinará por los siglos de los siglos».

(Pausa)

Meditación

Guía: Oh Santísima Madre, ¿qué nos quiere decir esta Sagrada Escritura, personalmente?

(Pausa larga)

Lectura y meditación

El guía continuará leyendo versículos de la Escritura y haciendo una pausa, sin hacer preguntas. Los fieles pueden seguir haciéndose las dos preguntas en silencio después de cada lectura de la Escritura.

16 Y los veinticuatro Ancianos que estaban sentados en sus tronos, delante de Dios, se postraron para adorarlo, diciendo:
17 «Te damos gracias, Señor, Dios todopoderoso –el que es y el que era– porque has ejercido tu inmenso poder y has establecido tu Reino. *(Pausa larga)*

18 Los paganos se habían enfurecido, pero llegó el tiempo de tu ira, así como también el momento de juzgar a los muertos y de recompensar a tus servidores, los profetas, y a los santos y a todos aquellos que temen tu Nombre –pequeños y grandes– y el momento de exterminar a los que corrompían la tierra». *(Pausa larga)*

19 En ese momento se abrió el Templo de Dios que está en el cielo y quedó a la vista el Arca de la Alianza, y hubo rayos, voces, truenos y un temblor de tierra, y cayó una fuerte granizada. *(Pausa larga)*

1 Y apareció en el cielo un gran signo: una Mujer revestida del sol, con la luna bajo sus pies y una corona de doce estrellas en su cabeza.
2 Estaba embarazada y gritaba de dolor porque iba a dar a luz. *(Pausa larga)*

3 Y apareció en el cielo otro signo: un enorme Dragón rojo como el fuego, con siete cabezas y diez cuernos, y en cada cabeza tenía una diadema.
4 Su cola arrastraba una tercera parte de las estrellas del cielo, y las precipitó sobre la tierra. *(Pausa larga)*

El Dragón se puso delante de la Mujer que iba a dar a luz, para devorar a su hijo en cuanto naciera.
5 La Mujer tuvo un hijo varón que debía regir a todas las naciones con un cetro de hierro. Pero el hijo fue elevado hasta Dios y hasta su trono, *(Pausa larga)*

6 y la Mujer huyó al desierto, donde Dios le había preparado un refugio para que allí fuera alimentada durante mil doscientos sesenta días. *(Pausa larga)*

Guía: Ahora continuamos con pasajes de Heb, 4.

1 Temamos, entonces, mientras permanece en vigor la promesa de entrar en el Reposo de Dios, no sea que alguno de ustedes se vea excluido.
2 Porque también nosotros, como ellos, hemos recibido una buena noticia; pero la Palabra que ellos oyeron no les sirvió de nada, porque no se unieron por la fe

a aquellos que la aceptaron. *(Pausa larga)*

3 Nosotros, en cambio, los que hemos creído, vamos hacia aquel Reposo del cual se dijo: "Entonces juré en mi indignación: Jamás entrarán en mi Reposo". En realidad, las obras de Dio estaban concluidas desde la creación del mundo, 4 ya que en cierto pasaje se dice acerca del séptimo día de la creación: Y Dios descansó de todas sus obras en el séptimo día; *(Pausa larga)*

5 y en este, a su vez, se dice: Jamás entrarán en mi Reposo. *(Pausa larga)*

6 Ahora bien, sabemos que la entrada a ese Reposo está reservada a algunos, y que los primeros que recibieron la buena noticia no entraron en él, a causa de su desobediencia.
7 Por eso, Dios nuevamente fija un día –un hoy– cuando muchos años después, dice por boca de David las palabras ya citadas: "Si hoy escuchan su voz, no endurezcan su corazón". *(Pausa larga)*

8 Porque si Josué hubiera introducido a los israelitas en ese Reposo, Dios no habría hablado después acerca de otro día.
9 Queda, por lo tanto, reservado un Reposo, el del séptimo día, para el Pueblo de Dios.
10 Y aquel que entra en el Reposo de Dios descansa de sus trabajos, como Dios descansó de los suyos.
11 Esforcémonos, entonces, por entrar en ese Reposo, a fin de que nadie caiga imitando aquel ejemplo de desobediencia. *(Pausa larga)*

12 Porque la Palabra de Dios es viva y eficaz, y más cortante que cualquier espada de doble filo: ella penetra hasta la raíz del alma y del espíritu, de las articulaciones y de la médula, y discierne los pensamientos y las intenciones del corazón.
13 Ninguna cosa creada escapa a su vista, sino que todo está desnudo y descubierto a los ojos de aquel a quien debemos rendir cuentas. *(Pausa larga)*

14 Y ya que tenemos en Jesús, el Hijo de Dios, un Sumo Sacerdote insigne que penetró en el cielo, permanezcamos firmes en la confesión de nuestra fe.
15 Porque no tenemos un Sumo Sacerdote incapaz de compadecerse de nuestras debilidades; al contrario él fue sometido a las mismas pruebas que nosotros, a excepción del pecado.
16 Vayamos, entonces, confiadamente al trono de la gracia, a fin de obtener misericordia y alcanzar la gracia de un auxilio oportuno. *(Pausa larga)*

Al finalizar los 15 minutos, decir:

Guía: Para continuar, por favor ir a "Oración" en la página 29 de sus libros.

Septiembre

Meditación comunitaria de la Escritura en forma de lectio divina

Guía: Para armonizar con las celebraciones litúrgicas de La Exaltación de la Santa Cruz y Nuestra Señora de los Dolores, ahora meditaremos en el Primer Misterio Doloroso, la Agonía de Jesús en el Huerto, comenzando con Mt 26, 36.

(Pausa)

Lectura

Guía: Oh Santísima Madre, ¿qué dice esta Sagrada Escritura? *(basado en Verbum Domini, Papa Benedicto XVI)*

36 Cuando Jesús llegó con sus discípulos a una propiedad llamada Getsemaní, les dijo: «Quédense aquí, mientras yo voy allí a orar».
37 Y llevando con él a Pedro y a los dos hijos de Zebedeo, comenzó a entristecerse y a angustiarse.

(Pausa)

Meditación

Guía: Oh Santísima Madre, ¿qué nos quiere decir esta Sagrada Escritura, personalmente? *(basado en Verbum Domini)*

(Pausa larga) (una pausa larga equivale aproximadamente a 20 segundos)

Lectura

Guía: Oh Santísima Madre, ¿qué dice esta Sagrada Escritura?

38 Entonces les dijo: «Mi alma siente una tristeza de muerte. Quédense aquí,

velando conmigo».

39 Y adelantándose un poco, cayó con el rostro en tierra, orando así: «Padre mío, si es posible, que pase lejos de mí este cáliz, pero no se haga mi voluntad, sino la tuya».

(Pausa)

Meditación

Guía: Oh Santísima Madre, ¿qué nos quiere decir esta Sagrada Escritura, personalmente?

(Pausa larga)

Lectura y meditación

El guía continuará leyendo versículos de la Escritura y haciendo una pausa, sin hacer preguntas, hasta el siguiente misterio. Los fieles pueden seguir haciéndose las dos preguntas en silencio después de cada lectura de la Escritura.

40 Después volvió junto a sus discípulos y los encontró durmiendo. Jesús dijo a Pedro: «¿Es posible que no hayan podido quedarse despiertos conmigo, ni siquiera una hora?
41 Estén prevenidos y oren para no caer en tentación, porque el espíritu está dispuesto, pero la carne es débil». *(Pausa larga)*

Después de cada lectura, silenciosamente preguntar:
Oh Santísima Madre, ¿qué dice esta Sagrada Escritura?
Oh Santísima Madre, ¿qué nos quiere decir esta Sagrada Escritura, personalmente?

42 Se alejó por segunda vez y suplicó: «Padre mío, si no puede pasar este cáliz sin que yo lo beba, que se haga tu voluntad».
43 Al regresar los encontró otra vez durmiendo, porque sus ojos se cerraban de sueño.
44 Nuevamente se alejó de ellos y oró por tercera vez, repitiendo las mismas palabras. *(Pausa larga)*

45 Luego volvió junto a sus discípulos y les dijo: «Ahora pueden dormir y descansar: ha llegado la hora en que el Hijo del hombre va a ser entregado en

manos de los pecadores.
46 ¡Levántense! ¡Vamos! Ya se acerca el que me va a entregar». *(Pausa larga)*

47 Jesús estaba hablando todavía, cuando llegó Judas, uno de los Doce, acompañado de una multitud con espadas y palos, enviada por los sumos sacerdotes y los ancianos del pueblo.
48 El traidor les había dado la señal: «Es aquel a quien voy a besar. Deténganlo». *(Pausa larga)*

49 Inmediatamente se acercó a Jesús, diciéndole: «Salud, Maestro», y lo besó.
50 Jesús le dijo: «Amigo, ¡cumple tu cometido!». Entonces se abalanzaron sobre él y lo detuvieron. *(Pausa larga)*

51 Uno de los que estaban con Jesús sacó su espada e hirió al servidor del Sumo Sacerdote, cortándole la oreja.
52 Jesús le dijo: «Guarda tu espada, porque el que a hierro mata a hierro muere. *(Pausa larga)*

Guía: Ahora meditaremos en el Cuarto Misterio Doloroso, Jesús lleva la Cruz, comenzando con Lc 23,26.

(Pausa)

Lectura

Guía: Oh Santísima Madre, ¿qué dice esta Sagrada Escritura?

26 Cuando lo llevaban, detuvieron a un tal Simón de Cirene, que volvía del campo, y lo cargaron con la cruz, para que la llevara detrás de Jesús.

(Pausa)

Meditación

Guía: Oh Santísima Madre, ¿qué nos quiere decir esta Sagrada Escritura, personalmente?

(Pausa larga)

Lectura y meditación

El guía continuará leyendo versículos de la Escritura y haciendo una pausa, sin hacer preguntas. Los fieles pueden seguir haciéndose las dos preguntas en silencio después de cada lectura de la Escritura.

27 Lo seguían muchos del pueblo y un buen número de mujeres, que se golpeaban el pecho y se lamentaban por él. *(Pausa larga)*

28 Pero Jesús, volviéndose hacia ellas, les dijo: «¡Hijas de Jerusalén!, no lloren por mí; lloren más bien por ustedes y por sus hijos. *(Pausa larga)*

29 Porque se acerca el tiempo en que se dirá: "¡Felices las estériles, felices los senos que no concibieron y los pechos que no amamantaron!" *(Pausa larga)*

30 Entonces se dirá a las montañas: "¡Caigan sobre nosotros!", y a los cerros: "¡Sepúltennos!"
31 Porque si así tratan a la leña verde, ¿qué será de la leña seca?». *(Pausa larga)*

Guía: Ahora meditaremos en el Quinto Misterio Doloroso, la Crucifixión y Muerte de Jesús, comenzando con Jn 19,25.

(Pausa)

25 Junto a la cruz de Jesús, estaba su madre y la hermana de su madre, María, mujer de Cleofás, y María Magdalena.
26 Al ver a la madre y cerca de ella al discípulo a quien el amaba, Jesús le dijo: «Mujer, aquí tienes a tu hijo». *(Pausa larga)*

27 Luego dijo al discípulo: «Aquí tienes a tu madre». Y desde aquel momento, el discípulo la recibió en su casa. *(Pausa larga)*

28 Después, sabiendo que ya todo estaba cumplido, y para que la Escritura se cumpliera hasta el final, Jesús dijo: Tengo sed.
29 Había allí un recipiente lleno de vinagre; empaparon en él una esponja, la ataron a una rama de hisopo y se la acercaron a la boca.
30 Después de beber el vinagre, dijo Jesús: «Todo se ha cumplido». E inclinando la cabeza, entregó su espíritu. *(Pausa larga)*

31 Era el día de la Preparación de la Pascua. Los judíos pidieron a Pilato que hiciera quebrar las piernas de los crucificados y mandara retirar sus cuerpos, para que no quedaran en la cruz durante el sábado, porque ese sábado era muy

solemne. *(Pausa larga)*

32 Los soldados fueron y quebraron las piernas a los dos que habían sido crucificados con Jesús.

33 Cuando llegaron a él, al ver que ya estaba muerto, no le quebraron las piernas, *(Pausa larga)*

34 sino que uno de los soldados le atravesó el costado con la lanza, y en seguida brotó sangre y agua.

35 El que vio esto lo atestigua: su testimonio es verdadero y él sabe que dice la verdad, para que también ustedes crean. *(Pausa larga)*

36 Esto sucedió para que se cumpliera la Escritura que dice: "No le quebrarán ninguno de sus huesos".

37 Y otro pasaje de la Escritura, dice: "Verán al que ellos mismos traspasaron". *(Pausa larga)*

Al finalizar los 15 minutos, decir:

Guía: Para continuar, por favor ir a "Oración" en la página 29 de sus libros.

Octubre

Meditación comunitaria de la Escritura en forma de lectio divina

Guía: Recordando la necesidad de reparación al Inmaculado Corazón de María, ahora meditaremos en el Cuarto Misterio Gozoso, la Presentación del Niño Jesús en el Templo, comenzando con Lc 2,22.

(Pausa)

Lectura

Guía: Oh Santísima Madre, ¿qué dice esta Sagrada Escritura? *(basado en Verbum Domini, Papa Benedicto XVI)*

22 Cuando llegó el día fijado por la Ley de Moisés para la purificación, llevaron al niño a Jerusalén para presentarlo al Señor,

(Pausa)

Meditación

Guía: Oh Santísima Madre, ¿qué nos quiere decir esta Sagrada Escritura, personalmente? *(basado en Verbum Domini)*

(Pausa larga) (una pausa larga equivale aproximadamente a 20 segundos)

Lectura

Guía: Oh Santísima Madre, ¿qué dice esta Sagrada Escritura?

23 como está escrito en la Ley: "Todo varón primogénito será consagrado al Señor".

(Pausa)

Meditación

Guía: Oh Santísima Madre, ¿qué nos quiere decir esta Sagrada Escritura, personalmente?

(Pausa larga)

Lectura y meditación

El guía continuará leyendo versículos de la Escritura y haciendo una pausa, sin hacer preguntas, hasta el siguiente misterio. Los fieles pueden seguir haciéndose las dos preguntas en silencio después de cada lectura de la Escritura.

24 También debían ofrecer un sacrificio un par de tórtolas o de pichones de paloma, como ordena la Ley del Señor. *(Pausa larga)*

Después de cada lectura, silenciosamente preguntar:
Oh Santísima Madre, ¿qué dice esta Sagrada Escritura?
Oh Santísima Madre, ¿qué nos quiere decir esta Sagrada Escritura,
personalmente?

25 Vivía entonces en Jerusalén un hombre llamado Simeón, que era justo y

88

piadoso, y esperaba el consuelo de Israel. El Espíritu Santo estaba en él
26 y le había revelado que no moriría antes de ver al Mesías del Señor. *(Pausa larga)*

27 Conducido por el mismo Espíritu, fue al Templo, y cuando los padres de Jesús llevaron al niño para cumplir con él las prescripciones de la Ley,
28 Angel lo tomó en sus brazos y alabó a Dios, diciendo:
29 «Ahora, Señor, puedes dejar que tu servidor muera en paz, como lo has prometido, *(Pausa larga)*

30 porque mis ojos han visto la salvación
31 que preparaste delante de todos los pueblos:
32 luz para iluminar a las naciones paganas y gloria de tu pueblo Israel». *(Pausa larga)*

33 Su padre y su madre estaban admirados por lo que oían decir de él.
34 Simeón, después de bendecirlos, dijo a María, la madre: «Este niño será causa de caída y de elevación para muchos en Israel; será signo de contradicción, *(Pausa larga)*

35 y a ti misma una espada te atravesará el corazón. Así se manifestarán claramente los pensamientos íntimos de muchos». *(Pausa larga)*

36 Había también allí una profetisa llamada Ana, hija de Fanuel, de la familia de Aser, mujer ya entrada en años, que, casa en su juventud, había vivido siete años con su marido.
37 Desde entonces había permanecido viuda, y tenía ochenta y cuatro años. No se apartaba del Templo, sirviendo a Dios noche y día con ayunos y oraciones. *(Pausa larga)*

38 Se presentó en ese mismo momento y se puso a dar gracias a Dios. Y hablaba acerca del niño a todos los que esperaban la redención de Jerusalén. *(Pausa larga)*

39 Después de cumplir todo lo que ordenaba la Ley del Señor, volvieron a su ciudad de Nazaret, en Galilea.
40 El niño iba creciendo y se fortalecía, lleno de sabiduría, y la gracia de Dios estaba con él. *(Pausa larga)*

Guía: Para alentar la promoción de la Oración Evangélica del Rosario, que celebramos este mes, ahora meditaremos en El Tercer Misterio

Luminoso, La Proclamación del Evangelio, comenzando con el Mt 5,1.

(Pausa)

Lectura

Guía: Oh Santísima Madre, ¿qué dice esta Sagrada Escritura?

1 Al ver a la multitud, Jesús subió a la montaña, se sentó, y sus discípulos se acercaron a él.
2 Entonces tomó la palabra y comenzó a enseñarles, diciendo:
3 «Felices los que tienen alma de pobres, porque a ellos les pertenece el Reino de los Cielos.

(Pausa)

Meditación

Guía: Oh Santísima Madre, ¿qué nos quiere decir esta Sagrada Escritura, personalmente?

(Pausa larga)

Lectura y meditación

El guía continuará leyendo versículos de la Escritura y haciendo una pausa, sin hacer preguntas. Los fieles pueden seguir haciéndose las dos preguntas en silencio después de cada lectura de la Escritura.

4 Felices los pacientes, porque recibirán la tierra en herencia.
5 Felices los afligidos, porque serán consolados. *(Pausa larga)*

6 Felices los que tienen hambre y sed de justicia, porque serán saciados.
7 Felices los misericordiosos, porque obtendrán misericordia. *(Pausa larga)*

8 Felices los que tienen el corazón puro, porque verán a Dios.
9 Felices los que trabajan por la paz, porque serán llamados hijos de Dios. *(Pausa larga)*

10 Felices los que son perseguidos por practicar la justicia, porque a ellos les

pertenece el Reino de los Cielos. *(Pausa larga)*

11 Felices ustedes, cuando sean insultados y perseguidos, y cuando se los calumnie en toda forma a causa de mí.

12 Alégrense y regocíjense entonces, porque ustedes tendrán una gran recompensa en el cielo; de la misma manera persiguieron a los profetas que los precedieron. *(Pausa larga)*

13 Ustedes son la sal de la tierra. Pero si la sal pierde su sabor, ¿con qué se la volverá a salar? Ya no sirve para nada, sino para ser tirada y pisada por los hombres.

14 Ustedes son la luz del mundo. No se puede ocultar una ciudad situada en la cima de una montaña. *(Pausa larga)*

15 Y no se enciende una lámpara para meterla debajo de un cajón, sino que se la pone sobre el candelero para que ilumine a todos los que están en la casa.

16 Así debe brillar ante los ojos de los hombres la luz que hay en ustedes, a fin de que ellos vean sus buenas obras y glorifiquen al Padre que está en el cielo. *(Pausa larga)*

17 No piensen que vine para abolir la Ley o los Profetas: yo no he venido a abolir, sino a dar cumplimiento. *(Pausa larga)*

Al finalizar los 15 minutos, decir:

Guía: Para continuar, por favor ir a "Oración" en la página 29 de sus libros.

Noviembre

Meditación comunitaria de la Escritura en forma de lectio divina

Guía: Para armonizar con el Tiempo Ordinario, ahora meditaremos en el Tercer Misterio Luminoso, La Proclamación del Evangelio, comenzando con Lc, 16,19.

(Pausa)

Lectura

Guía: Oh Santísima Madre, ¿qué dice esta Sagrada Escritura? *(basado en Verbum Domini, Papa Benedicto XVI)*

19 Había un hombre rico que se vestía de púrpura y lino finísimo y cada día hacía espléndidos banquetes.

20 A su puerta, cubierto de llagas, yacía un pobre llamado Lázaro,

21 que ansiaba saciarse con lo que caía de la mesa del rico; y hasta los perros iban a lamer sus llagas.

(Pausa)

Meditación

Guía: Oh Santísima Madre, ¿qué nos quiere decir esta Sagrada Escritura, personalmente? *(basado en Verbum Domini)*

(Pausa larga) (una pausa larga equivale aproximadamente a 20 segundos)

Lectura

Guía: Oh Santísima Madre, ¿qué dice esta Sagrada Escritura?

22 El pobre murió y fue llevado por los ángeles al seno de Abraham. El rico también murió y fue sepultado.

23 En la morada de los muertos, en medio de los tormentos, levantó los ojos y vio de lejos a Abraham, y a Lázaro junto a él.

(Pausa)

Meditación

Guía: Oh Santísima Madre, ¿qué nos quiere decir esta Sagrada Escritura, personalmente?

(Pausa larga)

Lectura y meditación

El guía continuará leyendo versículos de la Escritura y haciendo una pausa, sin hacer preguntas, hasta el siguiente misterio. Los fieles pueden seguir haciéndose las dos preguntas en silencio después de cada lectura de la Escritura.

24 Entonces exclamó: "Padre Abraham, ten piedad de mí y envía a Lázaro para que moje la punta de su dedo en el agua y refresque mi lengua, porque estas llamas me atormentan".

25 "Hijo mío, respondió Abraham, recuerda que has recibido tus bienes en vida y Lázaro, en cambio, recibió males; ahora él encuentra aquí su consuelo, y tú, el tormento. *(Pausa larga)*

Después de cada lectura, silenciosamente preguntar:
Oh Santísima Madre, ¿qué dice esta Sagrada Escritura?
Oh Santísima Madre, ¿qué nos quiere decir esta Sagrada Escritura,
personalmente?

26 Además, entre ustedes y nosotros se abre un gran abismo. De manera que los que quieren pasar de aquí hasta allí no pueden hacerlo, y tampoco se puede pasar de allí hasta aquí".

27 El rico contestó: "Te ruego entonces, padre, que envíes a Lázaro a la cada de mi padre,

28 porque tengo cinco hermanos: que él los prevenga, no sea que ellos también caigan en este lugar de tormento". *(Pausa larga)*

29 Abraham respondió: "Tienen a Moisés y a los Profetas; que los escuchen".

30 "No, padre Abraham, insistió el rico. Pero si alguno de los muertos va a verlos, se arrepentirán".

31 Pero Abraham respondió: "Si no escuchan a Moisés y a los Profetas, aunque resucite alguno de entre los muertos, tampoco se convencerán"». *(Pausa larga)*

Guía: Teniendo en cuenta las almas que sufren en el Purgatorio, ahora meditaremos en el Segundo Misterio Doloroso, la Flagelación de Jesús atado a la columna, comenzando con Mt 27, 24.

(Pausa)

Lectura

Guía: Oh Santísima Madre, ¿qué dice esta Sagrada Escritura?

24 Al ver que no se llegaba a nada, sino que aumentaba el tumulto, Pilato hizo traer agua y se lavó las manos delante de la multitud, diciendo: «Yo soy inocente de esta sangre. Es asunto de ustedes».

(Pausa)

Meditación

Guía: Oh Santísima Madre, ¿qué nos quiere decir esta Sagrada Escritura, personalmente?

(Pausa larga)

Lectura y meditación

El guía continuará leyendo versículos de la Escritura y haciendo una pausa, sin hacer preguntas. Los fieles pueden seguir haciéndose las dos preguntas en silencio después de cada lectura de la Escritura.

25 Y todo el pueblo respondió: «Que su sangre caiga sobre nosotros y sobre nuestros hijos».
26 Entonces, Pilato puso en libertad a Barrabás; y a Jesús, después de haberlo hecho azotar, lo entregó para que fuera crucificado. *(Pausa larga)*

Guía: Ahora continuamos con pasajes de Is, 53.

1 ¿Quién creyó lo que nosotros hemos oído y a quién se le reveló el brazo del Señor?
2 El creció como un retoño en su presencia, como una raíz que brota de una tierra árida, sin forma ni hermosura que atrajera nuestras miradas, sin un aspecto que pudiera agradarnos. *(Pausa larga)*

3 Despreciado, desechado por los hombres, abrumado de dolores y habituado al sufrimiento, como alguien ante quien se aparta el rostro, tan despreciado, que lo tuvimos por nada. *(Pausa larga)*

4 Pero él soportaba nuestros sufrimientos y cargaba con nuestras dolencia, y nosotros lo considerábamos golpeado, herido por Dios y humillado.
5 El fue traspasado por nuestras rebeldías y triturado por nuestras iniquidades. El castigo que nos da la paz recayó sobre él y por sus heridas fuimos sanados. *(Pausa larga)*

6 Todos andábamos errantes como ovejas, siguiendo cada uno su propio camino, y el Señor hizo recaer sobre él las iniquidades de todos nosotros. *(Pausa larga)*

7 Al ser maltratado, se humillaba y ni siquiera abría su boca: como un cordero llevado al matadero, como una oveja muda ante el que la esquila, él no abría su boca. *(Pausa larga)*

8 Fue detenido y juzgado injustamente, y ¿quién se preocupó de su suerte? Porque fue arrancado de la tierra de los vivientes y golpeado por las rebeldías de mi pueblo.

9 Se le dio un sepulcro con los malhechores y una tumba con los impíos, aunque no había cometido violencia ni había engaño en su boca. *(Pausa larga)*

10 El Señor quiso aplastarlo con el sufrimiento. Si ofrece su vida en sacrificio de reparación, verá su descendencia, prolongará sus días, y la voluntad del Señor se cumplirá por medio de él. *(Pausa larga)*

11 A causa de tantas fatigas, él verá la luz y, al saberlo, quedará saciado. Mi Servidor justo justificará a muchos y cargará sobre sí las faltas de ellos. *(Pausa larga)*

12 Por eso le daré una parte entre los grandes y él repartirá el botín junto con los poderosos. Porque expuso su vida a la muerte y fue contado entre los culpables, siendo así que llevaba el pecado de muchos e intercedía en favor de los culpables. *(Pausa larga)*

Guía: Ahora meditaremos en el Tercer Misterio Doloroso, La Coronación de Jesús con Espinas, comenzando con Mt, 27,27.

(Pausa)

27 Los soldados del gobernador llevaron a Jesús al pretorio y reunieron a toda la guardia alrededor de él.

28 Entonces lo desvistieron y le pusieron un mano rojo.

29 Luego tejieron una corona de espinas y la colocaron sobre su cabeza, pusieron una caña en su mano derecha y, doblando la rodilla delante de él, se burlaban, diciendo: «Salud, rey de los judíos». *(Pausa larga)*

30 Y escupiéndolo, le quitaron la caña y con ella le golpeaban la cabeza.

31 Después de haberse burlado de él, le quitaron el manto, le pusieron de nuevo sus vestiduras y lo llevaron a crucificar. *(Pausa larga)*

Guía: Ahora continuamos con pasajes de Is, 50.

5 El Señor abrió mi oído y yo no me resisTini me volví atrás.

6 Ofrecí mi espalda a los que golpeaban y mis mejillas, a los que me arrancaban la barba; no retiré mi rostro cuando me ultrajaban y escupían. *(Pausa larga)*

7 Pero el Señor viene en mi ayuda: por eso, no quedé confundido; por eso, endurecí mi rostro como el pedernal, y sé muy bien que no seré defraudado. *(Pausa larga)*

8 Está cerca el que me hace justicia: ¿quién me va a procesar? ¡Comparezcamos todos juntos! ¿Quién será mi adversario en el juicio? ¡Que se acerque hasta mí! 9 Sí, el Señor viene en mi ayuda: ¿quién me va a condenar? Todos ellos se gastarán como un vestido, se los comerá la polilla. *(Pausa larga)*

Al finalizar los 15 minutos, decir:

Guía: Para continuar, por favor ir a "Oración" en la página 29 de sus libros.

Diciembre

Meditación comunitaria de la Escritura en forma de lectio divina

Guía: Para armonizar con el tiempo litúrgico del Adviento, meditaremos en el Primer Misterio Gozoso, la Anunciación del Señor, comenzando con Lc 1,26.

(Pausa)

Lectura

Guía: Oh Santísima Madre, ¿qué dice esta Sagrada Escritura? *(basado en Verbum Domini, Papa Benedicto XVI)*

26 En el sexto mes, el ángel Gabriel fue enviado por Dios a una ciudad de Galilea, llamada Nazaret,
27 a una virgen que estaba comprometida con un hombre perteneciente a la familia de David, llamado José. El nombre de la virgen era María.

(Pausa)

Meditación

Guía: Oh Santísima Madre, ¿qué nos quiere decir esta Sagrada Escritura, personalmente? *(basado en Verbum Domini)*

(Pausa larga) (una pausa larga equivale aproximadamente a 20 segundos)

Lectura

Guía: Oh Santísima Madre, ¿qué dice esta Sagrada Escritura?

28 El Ángel entró en su casa y la saludó, diciendo: «¡Alégrate!, llena de gracia, el Señor está contigo».
29 Al oír estas palabras, ella quedó desconcertada y se preguntaba qué podía significar ese saludo.

(Pausa)

Meditación

Guía: Oh Santísima Madre, ¿qué nos quiere decir esta Sagrada Escritura, personalmente?

(Pausa larga)

Lectura y meditación

El guía continuará leyendo versículos de la Escritura y haciendo una pausa, sin hacer preguntas, hasta el siguiente misterio. Los fieles pueden seguir haciéndose las dos preguntas en silencio después de cada lectura de la Escritura.

30 Pero el Ángel le dijo: «No temas, María, porque Dios te ha favorecido.
31 Concebirás y darás a luz un hijo, y le pondrás por nombre Jesús; *(Pausa larga)*

Después de cada lectura, silenciosamente preguntar:
Oh Santísima Madre, ¿qué dice esta Sagrada Escritura?
Oh Santísima Madre, ¿qué nos quiere decir esta Sagrada Escritura, personalmente?

32 él será grande y será llamado Hijo del Altísimo. El Señor Dios le dará el trono de David, su padre,

33 reinará sobre la casa de Jacob para siempre y su reino no tendrá fin». *(Pausa larga)*

34 María dijo al Angel: «¿Cómo puede ser eso, si yo no tengo relaciones con ningún hombre?».

35 El Angel le respondió: «El Espíritu Santo descenderá sobre ti y el poder del Altísimo te cubrirá con su sombra. Por eso el niño será Santo y será llamado Hijo de Dios. *(Pausa larga)*

36 También tu parienta Isabel concibió un hijo a pesar de su vejez, y la que era considerada estéril, ya se encuentra en su sexto mes,

37 porque no hay nada imposible para Dios». *(Pausa larga)*

38 María dijo entonces: «Yo soy la servidora del Señor, que se cumpla en mí lo que has dicho».Y el Angel se alejó. *(Pausa larga)*

Guía: Ahora meditaremos en el Segundo Misterio Gozoso, La Visitación de María a Isabel, comenzando con Lc, 1,39.

(Pausa)

Lectura

Guía: Oh Santísima Madre, ¿qué dice esta Sagrada Escritura?

39 En aquellos días, María partió y fue sin demora a un pueblo de la montaña de Judá.

40 Entró en la casa de Zacarías y saludó a Isabel.

(Pausa)

Meditación

Guía: Oh Santísima Madre, ¿qué nos quiere decir esta Sagrada Escritura, personalmente?

(Pausa larga)

Lectura y meditación

El guía continuará leyendo versículos de la Escritura y haciendo una pausa, sin hacer preguntas. Los fieles pueden seguir haciéndose las dos preguntas en silencio después de cada lectura de la Escritura.

41 Apenas esta oyó el saludo de María, el niño saltó de alegría en su seno, e Isabel, llena del Espíritu Santo,
42 exclamó: «¡Tú eres bendita entre todas las mujeres y bendito es el fruto de tu vientre! *(Pausa larga)*

43 ¿Quién soy yo, para que la madre de mi Señor venga a visitarme?
44 Apenas oí tu saludo, el niño saltó de alegría en mi seno. *(Pausa larga)*

45 Feliz de ti por haber creído que se cumplirá lo que te fue anunciado de parte del Señor».
46 María dijo entonces: «Mi alma canta la grandeza del Señor,
47 y mi espíritu se estremece de gozo en Dios, mi salvador, *(Pausa larga)*

48 porque el miró con bondad la pequeñez de tu servidora. En adelante todas las generaciones me llamarán feliz,
49 porque el Todopoderoso he hecho en mí grandes cosas: ¡su Nombre es santo!
50 Su misericordia se extiende de generación en generación sobre aquellos que lo temen. *(Pausa larga)*

51 Desplegó la fuerza de su brazo, dispersó a los soberbios de corazón.
52 Derribó a los poderosos de su trono y elevó a los humildes.
53 Colmó de bienes a los hambrientos y despidió a los ricos con las manos vacías. *(Pausa larga)*

54 Socorrió a Israel, su servidor, acordándose de su misericordia,
55 como lo había prometido a nuestros padres, en favor de Abraham y de su descendencia para siempre».
56 María permaneció con Isabel unos tres meses y luego regresó a su casa. *(Pausa larga)*

Guía: Ahora continuamos con pasajes de Lc, 1.

67 Entonces Zacarías, su padre, quedó lleno del Espíritu Santo y dijo proféticamente:
68 «Bendito sea el Señor, el Dios de Israel, porque ha visitado y redimido a su Pueblo, *(Pausa larga)*

69 y nos ha dado un poderoso Salvador en la casa de David, su servidor,
70 como lo había anunciado mucho tiempo antes, por boca de sus santos profetas, *(Pausa larga)*

71 para salvarnos de nuestros enemigos y de las manos de todos los que nos odian.
72 Así tuvo misericordia de nuestros padres y se acordó de su santa Alianza,
73 del juramento que hizo a nuestro padre Abraham *(Pausa larga)*

74 de concedernos que, libres de temor, arrancados de las manos de nuestros enemigos,
75 lo sirvamos en santidad y justicia, bajo su mirada, durante toda nuestra vida. *(Pausa larga)*

76 Y tú, niño, serás llamado Profeta del Altísimo, porque irás delante del Señor preparando sus caminos,
77 para hacer conocer a su Pueblo la salvación mediante el perdón de los pecados; *(Pausa larga)*

78 gracias a la misericordiosa ternura de nuestro Dios, que nos traerá del cielo la visita del Sol naciente,
79 para iluminar a los que están en las tinieblas y en la sombra de la muerte, y guiar nuestros pasos por el camino de la paz». *(Pausa larga)*

Al finalizar los 15 minutos, decir:

Guía: Para continuar, por favor ir a "Oración" en la página 29 de sus libros.

Apéndice I

La Visitación de la Virgen Peregrina de la Iglesia al Hogar

Orden de Devoción para La Visitación de la Virgen Peregrina de la Iglesia al Hogar

Para establecer el Reino del Sagrado Corazón de Jesús en el Hogar y acercarnos a Él en la Santa Eucaristía

1. La Recepción de la Imagen Peregrina en la iglesia

Antes de iniciar esta devoción, favor de revisar la primera página del Apéndice A y la información relacionada de los Apéndices F y G del libro "Los Primeros Sábados Comunitarios."

La Recepción de la Imagen Peregrina en los Primeros Sábados

*El custodio de la Virgen Peregrina deberá leer la parte del **narrador**. La representante de la familia que devuelve la imagen toma el papel de **María** y la representante de la familia que recibe la imagen toma el papel de **Isabel**. Tanto el narrador como las familias deben colocarse al pie del presbiterio o santuario durante el intercambio de la imagen. Si hay otros anfitriones, como individuos o familias que reciben una imagen, también deben estar al pie del presbiterio o santuario. Se recomienda que estas imágenes adicionales sean cubiertas y colocadas cuidadosamente en una mesa cercana o en la primera banca de la iglesia.*

Narrador: Por favor, ir a la página 103 de sus libros para continuar.

El narrador dice lo siguiente cuando hay más de una imagen de nuestra Madre presente en la recepción:

Narrador: Hay más de una imagen de nuestra Madre presente en la recepción esta semana. La (s) imagen (es) adicional (es) será (n) cubierta (s) para que nuestra atención se centre en una imagen.

A continuación, se dice lo siguiente, ya sea que haya una o más de una imagen que se devuelve y/o se recibe:

Narrador: Por favor, pasen al frente (del presbiterio o santuario) las personas que van a entregar o recibir la imagen de Nuestra Madre.

Narrador: Antes de comenzar, imaginemos que el trayecto que recorre la imagen de la Virgen Peregrina hacia el pie del presbiterio *(o santuario)*, es la representación del viaje de nuestra Madre de Nazaret a la casa de Zacarías en una misión de misericordia.

El narrador guía a la persona que leerá la parte de María desde el pie del presbiterio o santuario hasta donde se encuentra la Virgen Peregrina principal. Ambos se inclinan ante el Santísimo Sacramento si está presente. La persona que leerá la parte de Isabel debe estar al pie del presbiterio o santuario.

El narrador o un asistente presentará entonces la Imagen Peregrina a la persona que leerá la parte de María.

Desde allí, el narrador continúa:

Narrador: "En aquellos días, María partió y fue sin demora a un pueblo de la montaña de Judá." *(Pausa)*

Una vez que toman la imagen de la Virgen Peregrina, ambos se inclinan ante el Santísimo Sacramento si está presente y caminan hacia el pie del presbiterio o santuario, que es en donde se encuentra la persona que leerá la parte de Isabel.

Narrador: "Entró en la casa de Zacarías y saludó a Isabel. Apenas esta oyó el saludo de María, el niño saltó de alegría en su seno, e Isabel, llena del Espíritu Santo, exclamó:

Isabel: "'¡Tú eres bendita entre todas las mujeres y bendito es el fruto de tu vientre! ¿Quién soy yo, para que la madre de mi Señor venga a visitarme? Apenas oí tu saludo, el niño saltó de alegría en mi seno. Feliz de ti por haber creído que se cumplirá lo que te fue anunciado de parte del Señor'".

Narrador: "María dijo entonces:

María: 'Mi alma canta la grandeza del Señor, y mi espíritu se estremece de gozo en Dios, mi salvador,

Todos: porque el miró con bondad la pequeñez de tu servidora. En adelante todas las generaciones me llamarán feliz, porque el Todopoderoso he hecho en mí grandes cosas: ¡su Nombre es santo!

Su misericordia se extiende de generación en generación sobre aquellos que lo temen.

Desplegó la fuerza de su brazo, dispersó a los soberbios de corazón.

Derribó a los poderosos de su trono y elevó a los humildes.

Colmó de bienes a los hambrientos y despidió a los ricos con las manos vacías.

Socorrió a Israel, su servidor, acordándose de su misericordia,

como lo había prometido a nuestros padres, en favor de Abraham y de su descendencia para siempre'".

(Pausa)

El narrador ahora se dirige a la persona que lee la parte de María:

Narrador: Por favor, presente la imagen peregrina al siguiente anfitrión, _____ *(nombre del anfitrión).*

La imagen Peregrina se presenta al nuevo anfitrión.

Mientras la(s) imagen(es) Peregrina(s) es (son) presentada(s) al siguiente(s) anfitrión (es), el narrador dice:

Narrador: Reciba la imagen Peregrina. *(Pausa)*

Narrador: María permaneció con Isabel unos tres meses y luego regresó a su casa" *(Lc 1, 39-56). (Pausa)*

Narrador: Así como nuestra Madre trajo a Jesús a la casa de Isabel y Zacarías, y por el Espíritu Santo Isabel reconoció la verdadera presencia de Jesús en María, ahora nuestra Madre quiere llevar el Sagrado Corazón de Jesús a nuestros hogares y luego traernos de nuevo a la presencia real de Jesús en la Misa.

Sin mencionarlo, cualquier otra imagen peregrina cubierta sería(n) también entregada(s) al otro nuevo anfitrión (es).

Narrador: Por favor abran sus libros en la página 106 para cantar el himno de la procesión de salida. Si gusta nos puede acompañar en la procesión.

Después de inclinarse en reverencia al Santísimo Sacramento (si está presente), el narrador, el nuevo anfitrión y su familia comienzan la procesión de salida,[1] seguido por las familias que entregaron imagen o imágenes y por último salen en procesión los feligreses.

Durante la procesión, todos cantan "Del Cielo ha Bajado" u otro himno mariano autorizado.

Del Cielo ha Bajado

Todos: Del cielo ha bajado la Madre de Dios;
cantemos el Ave a su Concepción.
Ave, ave, ave, Maria. Ave, ave, ave Maria.

Oh Virgen sin mancha, oh Madre de amor,
El ángel te ofrezca mi salutación.
Ave, ave, ave María. Ave, ave, ave María.

Tú eres el orgullo de Dios creador
Y el fruto más digno de la Redención.
Ave, ave, ave María. Ave, ave, ave María.

Al finalizar la procesión (en el lugar previamente designado), el narrador puede invitar a los fieles a anotarse en la lista de quienes desean recibir la imagen de la Virgen Peregrina por una semana. También puede haber una lista de aquellos que deseen obtener más información acerca del

---

[1] *Cualquier miembro de la nueva familia anfitriona puede colocar la imagen en una mesa mientras se prepara la maleta para su transporte. Es importante que el Custodio señale cuál es el material incluido en la maleta e invite a la familia a leer el Apéndice A del libro de "Los Primeros Sábados Comunitarios". El contenido de este material:*
  1. *Ayuda a comprender el significado de la Virgen Peregrina y de la Entronización del Sagrado Corazón de Jesús (o su renovación en caso de que ya se haya realizado anteriormente).*
  2. *Sugiere una ambientación apropiada en el hogar para ambas devociones.*
  3. *Explica los pasos para hacer las oraciones recomendadas mientras está la Imagen de la Virgen Peregrina en el hogar y para la Entronización.*

Apostolado de Los Primeros Sábados Comunitarios. A continuación se muestran algunos ejemplos:

Narrador:

- "Quienes deseen recibir en sus hogares la Imagen de la Virgen Peregrina por una semana, favor de anotarse en _____ (*lugar designado*)".

- "Tenemos un folleto sobre "La Visitación de la Virgen Peregrina de la Iglesia al Hogar" *(mostrarlo)* con información que explica esta devoción más a detalle, así como también la entronización del Sagrado Corazón de Jesús que se puede llevar a cabo en el hogar".

- "Si alguien desea recibir información y noticias acerca de los Primeros Sábados, también puede anotar su nombre y correo electrónico.

Otros anuncios apropiados serían:

- *Anunciar dónde se puede recibir el Escapulario de la Virgen del Carmen.*

- *Anunciar dónde devolver los libros.*

- *Anunciar que la imagen Peregrina se está preparando para transportarla.*

- *Agradecer a las personas por acompañarlos y pedirles que regresen los próximos Primeros Sábados Comunitarios.*

El anfitrión procede entonces al lugar donde la imagen de nuestra Madre permanecerá durante una semana. Si una imagen de Virgen Peregrina va a un asilo de ancianos, por favor consulte el Apéndice B del libro mencionado.

La Recepción de la Imagen Peregrina en otros sábados

Después de la Misa, ya que el sacerdote se haya retirado, el custodio de la imagen Peregrina: 1) llevará la (s) imagen (es) en su maleta a una mesa en el lugar designado para la recepción, 2) colocará la (s) imagen (es) sobre la mesa, y 3) si hay más de una imagen, se recomienda cubrir el resto de las imágenes, para enfocar la atención solo en una imagen. En presencia del anfitrión que recibe la imagen, el custodio de la imagen peregrina comienza:

Custodio de la imagen Peregrina:

En el Nombre del Padre y del Hijo y del Espíritu Santo. Amén.

Recordemos estas palabras de la Escritura: "En aquellos días, María partió y fue sin demora a un pueblo de la montaña de Judá". *(Pausa)*

Recibir la imagen de la Virgen Peregrina simboliza que recibimos a nuestra Madre que va de la Misa para traer el Sagrado Corazón de Jesús a nuestros hogares. *(Pausa)*

En el Nombre del Padre y del Hijo y del Espíritu Santo. Amén.

El anfitrión procede entonces al lugar donde la imagen de nuestra Madre permanecerá durante una semana. Si una imagen Peregrina va a un hogar de ancianos, entonces por favor consulte el Apéndice B del libro mencionado.

2. El Regreso de la Imagen Peregrina a la iglesia

Guía, antes de iniciar esta devoción en la iglesia, revise el libro "Los Primeros Sábados Comunitarios," Apéndice A, Sección Uno, 5. El regreso de la imagen Peregrina a la iglesia, y el Apéndice F del mismo.

El custodio de la imagen Peregrina da la bienvenida al (los) anfitrión (es) que devuelve la (s) imagen (es) Peregrina(s). El (los) anfitrión (es) que regresa (n) la (s) imagen (es) Peregrina la entrega al custodio en el área designada. El custodio de la imagen Peregrina coloca una imagen en una mesa cercana y después lee lo siguiente:

Custodio de la imagen Peregrina:

En el Nombre del Padre y del Hijo y del Espíritu Santo. Amén.

¡Te damos la bienvenida a ti Madre Santísima y a tus hijos! Porque tú, María, llevaste a nuestro Salvador en tu vientre. "¡Tú eres bendita entre todas las mujeres y bendito es el fruto de tu vientre!" *(Pausa)* Recordemos que al devolver la imagen Peregrina antes de la Misa simboliza que nuestra Madre lleva a los fieles al Corazón Eucarístico de Jesús presente en la Misa.

(Pausa)

Nuestra Madre visitó tu hogar para llevarte al Corazón de su Hijo Jesús y te trajo de regreso a la iglesia para unirte más estrechamente con Su Corazón Eucarístico. Nuestra Madre ha obtenido para ustedes muchas otras bendiciones. Nuestra Madre los ha consolado con su amor maternal.

En respuesta, ¿hay algo que podamos hacer por nuestra Madre? *(Pausa)* Jesús nos ha pedido que lo consolemos a Él y a su Madre por los pecados que los ofenden a cada momento. Nuestro Señor y Su Madre Santísima nos han pedido que tratemos de reparar al Inmaculado Corazón por los pecados que la han traspasado. Nuestro Señor y nuestra Madre nos han pedido que hagamos reparación a su Inmaculado Corazón de una manera especial, haciendo los Primeros Sábados.

Los Primeros Sábados Comunitarios aquí en *(nombre de la parroquia o la comunidad)* hace que esto sea posible y más sencillo de realizar. Usted puede estar seguro que cumpliendo con los Primeros Sábados, habrá aún mayores bendiciones sobre usted y su familia.

Después, el custodio de la Virgen Peregrina podría darle una invitación impresa a los próximos Primeros Sábados Comunitarios junto con un folleto informativo (folleto disponible en www.PrimerosSabados.org) al anfitrión que regresa la imagen.
Una imagen Peregrina cubierta entonces sería exhibida temporalmente en el área designada. Si hay más de una imagen Peregrina, se recomienda cubrirla para que los fieles puedan concentrarse en una imagen.

Apéndice II

La Recepción del Escapulario de la Virgen del Carmen

Guía para la Recepción del Escapulario de la Virgen del Carmen

La recepción del Escapulario de la Virgen del Carmen se lleva a cabo al final de Los Primeros Sábados Comunitarios. En caso de que ya se haya incorporado una recepción de la imagen de la Virgen Peregrina, la recepción del Escapulario de la Virgen del Carmen seguiría justo después. Por favor, asegúrese de anunciar la recepción del Escapulario de la Virgen del Carmen después de la recitación del Rosario. Por favor vaya a la página 23.

Sólo una persona autorizada por la Orden Carmelita puede inscribir a los fieles en la Confraternidad de Nuestra Señora del Monte Carmelo. Para inscribirse en la Confraternidad de Nuestra Señora del Monte Carmelo, se puede contactar con la Orden Carmelita. Sin embargo, hay otras formas de afiliación con la Orden Carmelita. Uno puede simplemente recibir y / o usar un Escapulario de la Virgen del Carmen ya bendito con la intención de vivir de acuerdo con el significado del Escapulario. Se puede "recibir" un Escapulario de la Virgen del Carmen bendito de otra persona, pero sigue siendo importante para el que lo reciba tener un poco de preparación. Se recomienda tener disponible el folleto "Escapulario de la Virgen del Carmen" para que los fieles que asisten a Los Primeros Sábados Comunitarios puedan prepararse con anticipación. Este folleto está disponible en www.PrimerosSabados.org. Recomendamos que cuando los niños alcancen el uso de la razón o siete años de edad, los padres, con la ayuda del folleto, preparen a sus hijos a recibirlo. Esta es una excelente oportunidad para que la familia reflexione conscientemente en el significado de su Bautismo.

Con la autorización del párroco, los guías laicos de Los Primeros Sábados Comunitarios pueden otorgar a los fieles los Escapularios de la Virgen del Carmen ya benditos. La oración de Recepción del Escapulario se encuentra a continuación. El guía hará la oración una sola vez a todos los presentes y luego otorgará a cada uno su Escapulario.

La Recepción del Escapulario

Guía: Queridos hijos (*o hijo/hija*) de nuestra Madre Santísima, si alguno de ustedes no ha leído este folleto del Escapulario de la Virgen del Carmen *[mostrarlo]* les recomendamos que lo lean lo antes posible, para que puedan comprender mejor su significado y puedan usar el Escapulario teniendo la disposición adecuada.

Se recomienda otorgar el escapulario a un niño cuando este alcance la edad de razonamiento o siete años de edad. Si está presente algún niño que ha alcanzado la edad de razonamiento o tiene siete años de edad y desea recibir el Escapulario, se pedirá a sus padres que lo instruyan con la ayuda del folleto.

Guía/Todos:

    1. En el Nombre del Padre...

    2. Dios te salve María...

Guía:

    3. Recibe este Escapulario bendito, como señal de su relación especial con María la Madre de Jesús, a quien usted compromete a imitar. Que sea un recordatorio de sus votos bautismales y de su dignidad como cristiano, sirviendo a otros e imitando a María. Úselo como una señal de Su protección, haciendo siempre la voluntad de Dios y dedicándose a construir un mundo acorde a Su plan de comunidad, justicia y paz. Por último, use este Escapulario como señal de su consagración al Inmaculado Corazón de María.

    4. *Al otorgar el Escapulario de la Virgen del Carmen en la persona, diga lo siguiente:*

    Recibe este Escapulario bendito.

    5. En el Nombre del Padre...

Apéndice III

Himnos

Himnos

Estos himnos están incluidos aquí para su conveniencia. El guía tiene la libertad de elegir otros himnos que sean autorizados por su parroquia.

O Sanctissima

O sanctissima, o piissima,
dulcis Virgo Maria!
Mater amata, intemerata,
ora, ora pro nobis.

Tu solatium et refugium,
Virgo Mater Maria.
Quidquid optamus, per te speramus;
ora, ora pro nobis.

Ecce debiles, perquam flebiles;
salva nos, o Maria!
Tolle languores, sana dolores;
ora, ora pro nobis.

Virgo, respice, Mater, aspice;
audi nos, o Maria!
Tu medicinam portas divinam;
ora, ora pro nobis.

Del Cielo ha Bajado

Del cielo ha bajado la Madre de Dios;
cantemos el Ave a su Concepción.
Ave, ave, ave María. Ave, ave, ave María.

Oh Virgen sin mancha, oh Madre de amor,
El ángel te ofrezca mi salutación.
Ave, ave, ave María. Ave, ave, ave María.

Tú eres el orgullo de Dios creador
Y el fruto más digno de la Redención.
Ave, ave, ave María. Ave, ave, ave María.

Oh María, Madre Mía

Coro:
Oh María, Madre mía
oh consuelo del mortal,
Amparadme y guíadme a la patria celestial;
(al finalizar) Amparadme y guíadme a la patria celestial.

Con el ángel de María
las grandezas celebrad;
transportados de alegría
sus finezas publicad.

Coro.

Salve, júbilo del Cielo,
del excelso dulce imán;
salve hechizo de este suelo,
triunfadora de Satán.

Coro.

Quien a ti ferviente clama,
halla alivio en el pesar,
pues tu nombre luz derrama,
gozo y bálsamo sin par.

Coro

Mayores informes

Para más información o preguntas, favor de contactar:

Apostolado de Los Primeros Sábados Comunitarios

www.PrimerosSabados.org

Email:
info@primerossabados.org
info@communalfirstsaturdays

Made in the USA
Middletown, DE
11 April 2022